Waldemar Grab

Hör mir doch auf mit Sünde!

... und was es mit ihr auf sich hat

Waldemar Grab

HÖR MIR DOCH AUF MIT SÜNDE!

... und was es mit ihr auf sich hat

Waldemar Grab
Hör mir doch auf mit Sünde!
... und was es mit ihr auf sich hat

Best.-Nr. 271 623
ISBN 978-3-86353-623-7
Christliche Verlagsgesellschaft Dillenburg

Best.-Nr. 180 157
ISBN 978-3-85810-496-0
Verlag Mitternachtsruf, www.mnr.ch

Wenn nicht anders vermerkt,
wurden folgende Bibelübersetzungen verwendet:

[1] luther.heute
© 2018 Internationaler Gideonbund in Deutschland e. V
für Verse aus dem NT, den Psalmen und Sprüchen

[1] Lutherbibel, revidierter Text 1984,
© 1999 Deutsche Bibelgesellschaft, Stuttgart
für alle weiteren Verse aus dem AT

[2] HTR-Ü 2019, einer Arbeitsübertragung von
Hoffnungsträger e. V.

Außerdem wurden verwendet:
BasisBibel, NeÜ, NLB, Menge-Übersetzung.

1. Auflage

www.cv-dillenburg.de
Umschlaggestaltung und Satz:
Christliche Verlagsgesellschaft Dillenburg
Umschlagmotiv: © Shutterstock.com/Rayyy
Druck: GGP Media GmbH, Pößneck
Printed in Germany

Inhalt

1
EINLEITUNG: HÖR MIR DOCH AUF MIT SÜNDE!

Es war ein herrlicher Morgen, und ich war auf dem Weg zu einem Freund, den ich seit Jahren nicht mehr gesehen hatte. Wir hatten ausgerechnet seit dem Zeitpunkt keinen Kontakt mehr, den ich heute für mich als die entscheidende Wende in meinem Leben bezeichnen würde: die Entscheidung für ein Leben mit Jesus Christus.

Und doch, obwohl ich im Grunde nichts Aktuelles von ihm wusste, nannte ich ihn noch immer Freund. Eine Reihe von Fragen ging mir durch den Kopf. „Ist er verheiratet? Geht er noch derselben Arbeit nach? Ist er immer noch so bedacht?“ Nein, ich konnte das nicht einschätzen. Seit vier Wochen waren wir auch bei einem dieser Social-Media-Accounts Freunde, hier war ich auf ihn gestoßen. Sein Freundeskreis dort ist nicht besonders groß, aber vielleicht umso intensiver und herzlicher? Während ich rund 5000 Follower hatte, zählte er 200 Freunde als sein Eigen. Doch das, was er machte, machte er ehrlich und überlegt. Mein inneres Gefühl, ihn immer noch als Freund zu wissen, spricht für die damalige Qualität unserer Zuneigung und der gemeinsamen Erlebnisse.

Als ich damals für mich persönlich die Entscheidung traf, mein Leben von Jesus Christus völlig umstrukturieren zu lassen, blieb die Freundschaft auf der Strecke. Aber nicht im negativen Sinne, wie man zunächst vermuten könnte, sondern eher aus einer Zwangsläufigkeit heraus. Meine neuen „spirituellen Interessen", wie er es nannte, waren nicht seine und auch nicht verträglich mit seiner Weltanschauung, die ja bis dato auch meine gewesen war. Und so trennten sich, unausgesprochen und ohne es geplant zu haben, unsere Wege. Vielleicht hätte ich ihn mit meiner neuen Begeisterung nicht gleich so überschütten sollen ...

Innerlich hatte ich mich nun auf dieses Wiedersehen eingestimmt, und jetzt sollte es also heute tatsächlich so weit sein.

Auf der mehrstündigen Fahrt zu ihm kamen gedanklich all die Dinge wieder hoch, die wir auf unseren jahrelangen Weltreisen gemeinsam erlebt hatten, und nicht nur einmal musste ich lachen. Wir haben auch wirklich nichts ausgelassen, und so manches Mal waren unsere Aktionen tatsächlich recht „grenzwertig", wenn ich es aus heutiger Sicht betrachte.

Doch wer legt die Grenzen fest, um zu beurteilen, was noch geht? Wer sagt uns, welches Verhalten welche Grenze überschreitet? Was früher verpönt war, gehört doch heute, gesellschaftlich betrachtet, zur sogenannten „Lebensqualität" und ist nicht mehr wegzudenken.

Wir sprachen einmal über die Metapher, welche Schranken der Mensch wohl braucht, um nicht ungeschützt über stark befahrene Gleise zu laufen. Ist jeder für sich selbst „seines Glückes Schmied" oder gibt es tatsächlich so etwas wie „Führung oder Bewahrung von oben" – oder von wo auch immer?

Ich konnte seinerzeit keine besonders guten Antworten geben, da ich ganz frisch im Glauben stand, noch keine Gemeinde hatte und niemanden, der mich „führte oder lehrte". Alles, was ich damals wusste, gründete sich auf drei Säulen:

1. Säule: die Erinnerung

Zum Beispiel an die Kindergottesdienste unserer evangelischen Landeskirche in Birnbach/Ww, wo ich bereits als kleiner Steppke durch eine Diakonisse mit einer solchen Fröhlichkeit mit den biblischen Geschichten vertraut gemacht wurde, dass mein Herz sich heute noch freut, wenn ich an ihre ansteckend liebenswerte Art denke. Diese Erinnerung ging mir nie verloren, wenngleich ich auch die Inhalte von dem, was sie uns lehrte, gedanklich ins äußerste Meer geworfen hatte.

„Ins äußerste Meer?" Das ist eine Beschreibung, die ich in der Strophe des christlichen Liedes „Vergiss nicht zu danken" wiederfand und die mir als langjähriger „Seefahrer" natürlich besonders gefiel.

„ER (Jesus) warf unsere Sünden ins äußerste Meer …", heißt es dort. Doch es war inhaltlich genau das Gegenteil von dem, was ich bisher gedacht hatte. Ich selbst bin nämlich nicht in der Lage, meine Sünden irgendwo zu versenken oder sie nach Sankt Nimmerlein zu schicken.

Auch wenn ich immer wieder auf Menschen treffe, die nach einem Fehltritt sofort zur Tagesordnung überzugehen scheinen; im Grunde so, als wenn nie etwas gewesen und die Sache damit aus der Welt wäre.

Heute weiß ich, dass die Bibel recht hat, wenn sie sagt, dass wir uns nicht selbst vergeben können. Das kann nur der große Gott selbst. Er tut es in dem Augenblick, wo wir seinen Sohn Jesus Christus anerkennen und darum bitten.

Jesus mag es vielleicht geben oder gegeben haben, so dachte ich damals, aber dass ich persönliche Konsequenzen daraus ziehen sollte und deshalb ein besserer Mensch würde? Nein. Auf keinen Fall, denn das würde mich auf meinem Weg zum Erfolg doch ziemlich stark einschränken.

2. Säule: die Bekenntnisse anderer

Mein Wissen über den christlichen Glauben gründete sich auch auf die vielen Menschen, die im Laufe der Jahrzehnte meinen Weg kreuzten und mir gegenüber ihren Glauben an Jesus Christus bekannten. Nicht alle diese Begegnungen waren als Highlight zu verbuchen, aber manche waren doch sehr nachhaltig, positiv wie auch negativ.

Bis heute bin ich empfindlich gegen diese Holzhammer-Methoden nach dem Motto: „Willst du nicht mein Bruder sein, so schlag ich dir den Schädel ein." Aber das war eigentlich nicht die Regel. So manches Gespräch hatte sich in der hintersten Kammer meines Herzens festgebrannt.

3. Säule: den Ratgeber

Damals wie heute gründet sich mein geistliches Wissen auf das, was Gott mir durch seinen Heiligen Geist zu sagen hat. Das kann man kaum erklären, wenn man es nicht selbst erlebt. Dieses Phänomen ereilt jeden, der glaubt. Jeder, der sich Christus anvertraut hat, erhält Weisheit und Führung durch den Heiligen Geist.

Es gibt einen Bibelvers, der deutlich aufzeigt, warum das so ist und warum es bei mir damals „klick" machte, als ich mich nach zweijährigem Lesen des Gideon-Testamentes im Alter von 46 Jahren dann doch noch für diesen Weg entschied. Er steht in Johannes 14,26, wo Jesus seine Jünger darauf hinweist, dass er bald von ihnen gehen wird, und ihnen Mut macht:

*Doch wenn der Vater den Ratgeber
als meinen Stellvertreter schickt –
und damit meine ich den Heiligen Geist –,
wird er euch alles lehren und euch an alles
erinnern, was ich euch gesagt habe.* [2]

Ich erwähnte es schon: Mein Reden und meine Erklärungen, warum und wieso ich das alles nun so empfand und auch tatsächlich umsetzen wollte, waren damals recht bruchstückhaft. In mir drin, da war alles klar. Ich wusste genau, dass ich auf dem richtigen Weg war, denn mit der eingekehrten Freude verspürte ich auch inneren Frieden, und das war für meine Belange etwas ganz Besonderes. Dieser Friede hatte mir in so vielen Lebensentscheidungen bislang gefehlt. Es musste immer voran gehen, immer Power, immer Vollgas, immer risikofreudig, ohne Rücksicht auf zwischenmenschliche Tragödien. Das war diesmal anders. Ganz wohltuend anders.

Als ich am 12. Dezember 2004, wenige Tage vor diesem schrecklichen Tsunami in Südostasien, auf Barbados das ehemalige ZDF-Traumschiff MS Deutschland verließ, hatte der oben genannte Freund bereits ein Jahr zuvor auf einem anderen Schiff als Kapitän angeheuert. So war nicht nur die mentale, sondern auch die räumliche und geografische Trennung unserer Unternehmungen zwangsläufig.

Es war so, dass ich es in einem unserer letzten Gespräche nicht anders wusste, als ihm unsere früheren fragwürdigen Aktivitäten und Unternehmungen als „Sünde“ zu erklären, und ganz ehrlich: Aus der heutigen Vogelperspektive betrachtet erkenne ich, dass das für ihn regelrecht oberlehrerhaft geklungen haben muss. Ich, der gerade erst „gläubig“ geworden war, erklärte einem Freund, dass er in „Sünde“ lebte – dabei musste ich selbst erst einmal herausfinden, was Sünde überhaupt ist und was es denn für mich persönlich bedeutet, in dieser zu leben! Und es sollte sich herausstellen, dass ich – und niemand anders – Buße tun musste.

Irgendwann platzte ihm der Kragen, und er sagte erregt: „Sünde, Sünde, du mit deinem Jesus! Hör mir doch auf mit Sünde!“

Das hatte gesessen. Im Grunde beschäftigt es mich bis heute, das Phänomen der Sünde „greifbar“ zu machen. Für mich – und insbesondere für diejenigen, die zu meinen Vorträgen und Predigten kommen. Die Zeiten des „Fingerzeigens“ auf andere sind längst vorbei, Evangelisation geht nur über das persönliche Zeugnis und Erleben.

Bei der Überlegung, diesem Büchlein einen Titel zu geben, fielen mir die oben zitierten Sätze meines Freundes ein. Ich gebe zu: Nur wenige Wochen vor meiner Entscheidung für ein Leben mit Jesus hatte ich selbst noch so argumentiert!

„Hör mir doch auf mit Sünde“ ist eine Reaktion auf etwas, das man nicht mehr hören will, nämlich, dass man aus Sicht der Bibel am Ende eines noch so erfüllten Lebens ein verlorener Mensch ist.

Warum will man es nicht mehr hören, hat man es schon zu oft gesagt bekommen? Fühlt man sich bei irgendetwas „ertappt"? Und wenn, geht's den anderen nichts an, oder vielleicht doch?

Viele, die heute mit Jugendlichen und jungen Erwachsenen zu tun haben, ob in der Sozialarbeit oder im Lehrberuf, haben diese Beobachtungen schon gemacht: Das klare Erkennen und Zugeben eines falschen Verhaltens weicht zunehmend einer Kultur, die vor einigen Jahren noch ausschließlich zu den arabischen Staaten gehörte und die sich dort „Schamkultur" nennt.

In ihr ist der, der das Fehlverhalten begangen hat, emotional wie psychisch nicht in der Lage, eigene Schuld zu erkennen und einzugestehen. Er schämt sich tatsächlich und kann aus dieser Scham heraus dem anderen nicht mehr in die Augen sehen. Es kann durchaus sein, dass man bei einer zu direkten, deutlichen Ansprache auf ein Fehlverhalten den Freund oder den Mitarbeiter für lange Zeit oder sogar für immer verliert. Dazu als Ergänzung: In der westlichen Welt spricht man dagegen von einer „Schuldkultur", wo das Gewissen und ein vorgegebener Maßstab entscheidend sind.

Ich konnte mich nicht nur selbst in den vielen Jahrzehnten meiner Reisetätigkeiten durch Asien und den Vorderen Orient davon überzeugen, sondern höre auch heute noch in den Berichten der dort ansässigen Missionare von den Bemühungen, über so manchen rhetorischen Umweg zu einer „Selbsterkenntnis" der Betroffenen zu kommen. Quasi so, als wenn es deren eigene Idee gewesen wäre, es anders oder besser zu machen als bisher.

Der Theologe Thomas Schirrmacher führte bereits im Juli 2001 in einem Artikel für „ProMundis e. V." auf, dass beide Kulturen auch Elemente der anderen enthalten. Und so ist, wie schon gehört, auch in westlichen Ländern zunehmend zu beobachten, dass ein Fehlverhalten bei vielen jungen (und mittlerweile auch bei älteren) Menschen nicht mehr als solches erkannt wird. Es wird heute sogar mit einer emotionalen Härte, die nicht selten auch in Gewalt endet, abgestritten, dass man sich nur wundern kann. Die sozialen Medien sind voll von gegenseitigen Verurteilungen auf der einen und Gegenangriffen auf der anderen Seite.

Ich sorge mich nicht um unsere Jugend, weil ich Tausende von ihnen auf meinen Veranstaltungen kennengelernt habe, die mit großer Freude ein Leben mit Jesus Christus führen. Das macht solch einen Mut, wenn man nach einer Evangelisation wieder nach Hause fährt, dass man sich nicht sorgen muss!

Doch leider reicht dieses Vorbildsein nicht für die, die es anders sehen und anders leben. Sie rebellieren gegen die heimatliche Kultur und den Lebensstil der Erwachsenen und merken gar nicht, dass sie sich gegen das aufbäumen, von dem sie im Grunde tagein, tagaus profitieren.

Eine amerikanische Studie aus dem Jahr 2018 kommt zu dem Ergebnis, dass die sogenannte „Generation Z" (Geburtsjahrgang 1997–2012) ein größeres Bedürfnis aufzeigt, mittels Chat oder Smartphone auf Telefonate zu reagieren, anstatt zu telefonieren. Telefonate werden meist gar nicht mehr entgegengenommen, weil man „eventuellen Rechtfertigungen auf Fehlverhalten" entgehen will. Interessant daran ist, dass die Ergebnisse einer ähnlichen Studie* aus dem Jahr 2012 (hier mit Generation Y) noch anders ausfielen: Hier bevorzugten die Befragten nahezu alle das direkte Gespräch.

Das bestätigen übrigens auch die Meldungen aus den Handelskammern und den Ausbildungsbetrieben des Landes sowie öffentlich gemachte Berichte von Sozialarbeitern in den entsprechenden Netzwerken. Auch bei uns nimmt in persönlichen Diskussionen über bestimmte Verhaltensweisen, insbesondere beim Aufkommen von Schuldfragen, dieses Abtauchen deutlich zu.

Das Problem, das ich hier sehe, ist, dass die Sünde im allgemeinen Sprachgebrauch vieler Menschen nicht mehr existiert. Da, wo Eltern oder Großeltern noch fromme und bekehrte Menschen waren, reagieren die Nachfolgegenerationen zeitgeistgemäß so, wie es der Buchtitel wiedergibt – oder gar nicht.

Wenn man diesen Gedanken nun fortführt und der Philosophie darin folgt, dass es für die Menschheit keine Sünde gibt, dann frage ich mich: Können sich Millionen von Menschen seit Christi Geburt, Tod und Auferstehung so irren?

Ist Jesus tatsächlich vergebens durch Israel gelaufen, um Menschen zu heilen und ihnen ihre Sünden zu vergeben? Haben seine Jünger, die späteren Apostel, gar keinen Heiligen Geist empfangen (Apostelgeschichte 2) und sind völlig planlos durch unzählige Länder gereist, um die gute Nachricht des Evangeliums zu verkünden? Waren die Wunder Jesu und der Apostel bereits die ersten „Fake News"?

---

* Beide Studien wurden von der Non-Profit-Organisation Common Sense Media durchgeführt.

Wenn **Jesus** redete, sprach er in Gleichnissen. Wenn **Paulus** predigte, verwendete er meist Beispiele und Thora-Zitate aus der Geschichte Israels sowie Gottes Wirken mit seinem Volk. **David** komponierte christliche Lieder, unsere heutigen Psalmen. **Lukas** gab in der Apostelgeschichte die Erlebnisse der Paulusreisen wieder, und **die Evangelisten** Matthäus, Markus, Lukas und Johannes beschrieben Geburt, Leben und Wunder Jesu exakt. Allein die von ihnen offengelegte Passionsgeschichte ist eine der gewaltigsten Säulen der Menschheit, weil sie deutlich macht, dass zwischen Himmel und Erde mehr ist als das, was wir sehen: Tod und Auferstehung Jesu haben eine schuldbefreiende Wirkung und machen den Zugang zum heiligen Gott für uns Menschen endlich frei.

Die Sünde wird jedem Menschen vergeben, der Jesus darum bittet.

Wer aber seine persönliche Sündhaftigkeit leugnet oder gar rigoros ablehnt, macht aus rein menschlicher Sicht das komplette Evangelium sowie Tod und Auferstehung Jesu überflüssig.

Das erkennbar Gute daran ist, dass jede philosophische Fantasie hier endet und Gott nicht darauf achtet, wie aggressiv jemand zuvor seine Botschaft abgelehnt hat. Ihm ist einzig und allein das Herz des Menschen wichtig. Er weiß, dass es dort ganz tief drinnen im Menschen einen Kern gibt, der empfänglich für seine Liebe ist.

Ich selbst war ein ziemlich harter Brocken, der den christlichen Glauben 46 Jahre lang ablehnte, bis Gott mich durch das Lesen einer Bibel ansprach.

Bis zum letzten Atemzug des Menschen streckt ER seine Hand aus, um ihm dies sagen zu können: „*Komm her, mein liebes Kind, ich liebe dich!*“

*Kommt her zu mir alle,
die ihr mühselig und beladen seid,
ich will euch erquicken!"
(Jesus in Matthäus 11,28)*[1]

Ich litt in den Anfängen meines Christseins an einer gehörigen Portion Selbstüberschätzung und fragte mich manches Mal, ob Gott es wohl nicht schon bereute, dass er mich in seinen Kader geholt hatte.

So einfach, wie ich es mir damals dachte, war es nämlich nicht: Gerade erst Christ geworden und schon die Bekehrungskeule in der Hand – das konnte einfach nicht gut gehen. Der Freund hatte recht.

Sogar der Apostel Paulus warnt davor, Neubekehrte in verantwortliche Dienste zu stellen. Zwar in einem anderen Zusammenhang, aber im Tenor einig:

*Er darf nicht erst vor kurzem
Christ geworden sein, sonst wird er stolz.
(1. Timotheus 3,6)* [GNB]

Das war aber noch nicht alles. Neben dieser missionarischen Aktion, mein Gegenüber zum Sinneswandel zu bewegen, kam, dass ich zeitgleich auch mit dem Rauchen aufgehört hatte und keinen Alkohol mehr trank. Eigenschaften, „die zum Leben wie die rechte Hand dazu gehören", wie ich immer zu sagen pflegte. Dass ich durch Gottes Hilfe und ohne große Anstrengung innerhalb weniger Tage davon lassen konnte, das war für mich ein gewaltiges Wunder! Aber eben nur für mich – gibt es doch Hunderttausende von Menschen, die nicht mehr trinken oder rauchen oder sonstige Laster abgelegt haben, ohne dass sie mit Jesus Christus in irgendeiner Beziehung stehen.

Solche Erlebnisse sind also zunächst einmal etwas ganz Persönliches, emotional nicht übertragbar. Für mich war es damals eine der größten Erfahrungen, die ich (mit fast fünfzig Jahren) in meinem jungen Christsein machen durfte: Es war mir allein durch meinen Glauben möglich geworden, diesen Berg vor mir zu versetzen.

Ich weiß nicht, ob Sie schon mal einen ehemals leidenschaftlichen Kettenraucher kennengelernt haben, der plötzlich die Zigaretten „an den Nagel hängt“ und nun anfängt, Raucher zu Nichtrauchern zu bekehren. Nur die geringste Rauchschwade kann ihn wie ein HB-Männchen in die Luft gehen lassen. „Das sind die Schlimmsten“, pflegte mein Vater in solchen Fällen zu sagen und meinte die, die mit ihren ehemaligen weltlichen Lastern plötzlich vom Saulus zum Paulus wurden.

Also, der langen Vorrede kurzer Sinn: In meiner überschwänglichen Freude über diesen Mut machenden Beginn im Glauben machte ich eine Reihe von brüskierenden Fehlern, die dafür sorgten, dass mir der Anfang des Christseins aufgrund der Gegenreaktionen in meinem Umfeld schwer und schwerer fiel, und so schwieg ich besser. Was allerdings auch nicht die Lösung war, denn es gab nicht wenige, die am Ende zwar mitbekamen, dass ich mich verändert hatte, aber eben nicht, warum – und das sollte ja eigentlich nicht sein, oder?

Aus heutiger Sicht kann ich den Freund also bestens verstehen. Auch wenn ich mich persönlich dazu entschlossen hatte, diesen neuen Weg zu gehen, durfte ich ihm diesen nicht so einfach im Stil von „kam, sah und siegte“ überstülpen. Auch nicht, wenn wir uns in Kürze sehen würden! Ich hatte jetzt noch eine Stunde Autofahrt zurückzulegen und nahm mir fest vor, ihm nachher klar zu sagen, dass das nicht gut gewesen war, damals.

Für mich sind die seit 2007 gesammelten Erfahrungen als Evangelist und Seelsorger Grund genug, in diesem Büchlein eine persönliche, jedoch klare und biblische Ansicht zu diesem Thema zu vertreten. Die biblischen Aussagen zum Thema „Sünde“ zu akzeptieren ist eine der Grundvoraussetzungen für einen Neuanfang mit Christus. Sie müssen erstens wissen, was die Bibel darüber sagt, und Sie müssen es zweitens als Gottes Wort, als Wahrheit, anerkennen.

Mit Besorgnis erlebe ich, dass der Liberalisierungsprozess in vielen bunten Darstellungsformen der Kirchen, Freikirchen, Gemeinden, Gemeinschaften, Versammlungen und biblischen Ausbildungsstätten in Siebenmeilenstiefeln voranschreitet. Und was bei dem einen Seelsorger als Sünde erkannt wird, ist bei dem anderen noch lange nicht wirklich der Rede wert.

Lesen wir alle unterschiedliche Bibeln? Haben wir alle einen unterschiedlichen Geist, auf den man sich beruft? Mein Mentor, der Evangelist Anton Schulte, brachte die Sache während meiner Ausbildung auf den Punkt:

„Du darfst dich nicht davor scheuen, jede Modernisierung und technisch ausgereifte Erneuerung auch in der Verkündigung einzusetzen. Wir brauchen keine Angst vor dem Zeitgeist zu haben. Du musst nur darauf achten, dass die Botschaft Jesu, die du vermitteln willst, die alte bleibt.“

Der erste Teil seines gut gemeinten Ratschlages war genau meine Linie, die ich auch in all den Jahrzehnten ohne Gott eingehalten hatte. Die Umsetzung des zweiten Teils dauerte ein paar Jahre.

Was hat dieser Mann nicht schon alles gemacht, um die christliche Botschaft unter die Menschen zu bringen? Überall in Deutschland treffe ich bei meinen Veranstaltungen auf Menschen, die durch die großartige Verkündigung von Anton Schulte zum Glauben gekommen sind. Was für ein Segen!

Ich mag es sehr, wenn sich Gemeinden und christliche Werke modernisieren. Aber ich glaube, dass Gott uns Christen mit dem Heiligen Geist auch eine hypersensible Antenne gereicht hat, um sofort zu erkennen, wenn das Wort Gottes hier und da verwässert wird. Wie eine Suppe, die durch das ständige Dazukippen von Wasser ihre Intensität verliert.

Viele Jahrzehnte hatte ich den Vorsitz in verschiedenen weltlichen Vereinen inne, heute leite ich nur noch das Missionswerk Hoffnungsträger e. V. als ehrenamtlicher Vorsitzender. Daher kenne ich mich wahrlich mit Mitgliederversammlungen aus. Mein Eindruck in der christlichen Vereinswelt und den Allianzen ist:

Die bunte Vielfalt der weltweiten Gesamtgemeinde Jesu steht zwar einheitlich zu ihrem Vorsitzenden Christus, die Auslegung der Satzung (der Bibel) ist jedoch ein einziges Durcheinander, wenn es um die Ansprache von Zielverfehlungen (Sünde) und der rigorosen Umkehr (Buße) von derselben geht.

Nicht jede christliche Liberalisierung ist zwar gleichzeitig eine Anpassung an den antichristlichen Zeitgeist, doch jede ausgeübte Toleranz gegenüber unbequemen Maßstäben Gottes ist ein Stück Toleranz zu viel. Wie sollen die, die sich für den christlichen Glauben und das Thema Sünde interessieren, denn erfahren, wie sie ihren Weg vor Gott untadelig gehen sollen?

Dieses Büchlein legt die Finger nicht auf die einzelne Sünde, sondern versucht einen „Aha-Effekt“ zu erzeugen, der allerdings bei jedem Leser anders ausfallen kann. Für diejenigen, die dieses Thema auch an einer persönlichen Bibelarbeit festmachen wollen, werden eine Reihe von Bibelstellen als Grundlage und als Beleg meiner Aussagen genannt.

Es ist keine Literatur, die sich liest wie meine Traumschiff-Anekdoten. Es ist der Versuch eines Spagats: Soll es doch für die einen eine Annäherung an das Thema „Sünde“ sein, für die anderen eine geistliche Vertiefung eines höchst brisanten Themas. Die Übergänge sind dabei fließend, und das wird beide Seiten – die, die sich lediglich für das Thema interessieren und noch nicht glauben, und die, die bereits glauben – beflügeln.

Sie wollen noch erfahren, wie das Gespräch mit meinem Freund verlaufen ist, nicht wahr?

Das glauben Sie nicht: Er hat sich vor einem Jahr ebenfalls für ein Leben mit Jesus entschieden – völlig unabhängig von meinen damaligen Überzeugungsversuchen. Es war eine Sendung auf Bibel-TV, die ihn letztendlich ins Grübeln brachte, und so vertraute er sich dem gläubigen Pastor seiner Landeskirche an und wagte den Schritt. Und als er den Wunsch hatte, sich mit mir in Verbindung zu setzen, fanden wir uns durch einen „Zufall Gottes“ auf der bereits erwähnten Internetplattform wieder: Er könne nun verstehen, wie ich's damals gemeint hatte, sagte er lachend.

Wieder eine Geschichte des Lebens, die wie ein Wunder klingt, nicht wahr? Hat es Sie berührt, als Sie das eben lasen? Wollen auch Sie wissen, was tatsächlich hinter diesem Wunder steht?

Ich bete, dass dieses Büchlein Ihnen dabei hilft, einen der wesentlichen Grundbegriffe des Christseins zu verstehen, den Begriff der „Sünde".

2
WIDERSTEHEN

Als ich vor einigen Monaten über das Thema sprach, „was einem der christliche Glaube eigentlich bringe“, fanden wir in anschließenden Gruppengesprächen zu einer interessanten Schluss-These. Es war eine Antwort, die NICHTS mit irdischer Bevorteilung zu tun hat, NICHTS mit materiellen Zugewinnen, NICHTS mit der Umgehung physikalischer Gesetze (obwohl es z. B. in Psalm 121 heißt: *„Er wird deinen Fuß nicht gleiten lassen ...“* [Vers3; Lut 84]), bleibt bei Glatteis der Baum am Straßenrand und für den eiligen Fußgänger die Bananenschale auf dem Fußweg auch für Christen eine Gefahrenquelle par excellence).

Christlicher Glaube hat NICHTS mit Immunität vor Krankheit zu tun. Glaubende haben grundsätzlich keinen besseren Schutz vor Arbeitslosigkeit, Gerichtsbarkeit, Not oder Geldmangel. Das muss man einfach wissen, wenn man sich für ein Leben mit Jesus entscheidet.

Man darf es aber auch ruhig einmal laut sagen, dass auf der ganzen Welt Menschen täglich aufstehen, um zu bekennen:

- Gott hat mich bewahrt.
- ER hat mich gesund bleiben lassen all die Jahre.
- ER hat mich vor Arbeitslosigkeit geschützt.

- ER half mir in einem aussichtslosen Gerichtsverfahren.
- ER stand mir in Schmerzen bei und linderte sie.
- ER heilte meine Krankheit.
- ER tröstete mich in meiner Trauer.
- ER gab mir Licht in die Dunkelheit meiner Depression usw. usw.

Und mein heutiges, persönliches Fazit auf die Frage „Was bringt mir der Glaube an Jesus Christus?“ lautet: Er bringt mir an jedem Tag des Lebens das Quäntchen Kraft, das ich benötige, um zu widerstehen, um seine Gebote zu halten und um meinen Weg so zu gehen, dass ich dem HERRN gefalle.

Das Ziel für bekennende Christen sollte, allein um der Ehre des HERRN willen, jeden Morgen neu lauten, auch diesen Tag mit Gott zu leben! Er hat uns geschaffen, er ist unser HERR, da darf es doch eigentlich kein Problem sein, ihn auch an der Gestaltung unseres Lebens zu beteiligen.

Dem HERRN zu gefallen, bewusst, unbewusst, äußerlich, innerlich und vor allem authentisch, das wird uns nur gelingen, wenn wir es als automatischen Prozess in unseren Alltag zu integrieren versuchen.

Der Glaube bringt uns an jedem Tag des Lebens das Quäntchen Kraft, das wir benötigen, um zu widerstehen.

Und wem bitte sollen wir widerstehen?

„Ich konnte nicht widerstehen und habe wieder gesündigt“ – das hört man während der Weihnachtsfesttage nicht nur einmal.

Manches Käufliche ist auf Erden mit dem Etikett „sündhaft teuer“ versehen und assoziiert damit, dass man eigentlich etwas Falsches tut, über das Ziel hinausschießt, wenn man es dann doch kauft.

Und wer mit seinem Wagen zu schnell in einen kontrollierten Geschwindigkeitsbereich fährt, muss damit rechnen, dass er demnächst Post von der „Sünderkartei" in Flensburg bekommt.

„Du bist ein Sünder – kehr um!", schallte es früher aus den Lautsprechern der Missionszelte, und die Leute bekehrten sich in manchen Regionen zu Tausenden. Heute könnte man mit diesem Slogan wohl kaum noch eine Seele gewinnen; die Leute würden wahrscheinlich tatsächlich „umkehren" und ins nächste Wirtshaus gehen, wenn man ihnen diesen Satz über die Lautsprecher entgegenpustet. Und doch trifft dieser Satz die Wahrheit mitten im Kern.

„Lasst euch versöhnen mit Gott"[1] ist ein ebensolches, der Bibel entnommenes, altes Evangelisationsmotto aus 2. Korinther 5,20, und es ist heute genauso gültig wie vor Jahrzehnten. Denn das *Unversöhntsein* mit Gott ist wieder in aller Munde, und es scheint fast chic zu sein, wenn man sündigt. Man bekennt sich sogar öffentlich dazu. In unzähligen Liedern spricht man es aus: „Du bist eine Sünde wert" – und irgendwie weiß jeder: Damit ist „Unmoralisches" gemeint.

Der TV-Journalist Peter Hahne berichtete einmal, dass seine Großmutter immer gesagt habe: „Das gehört sich nicht!" Aber woher haben die Großeltern diese Weisheit? Wieder von ihren Großeltern und die von ihren usw.? Wie bei der Henne und dem Ei – es muss irgendwo einen Ursprung geben, ein „erstes Mal" – und dem gehe ich jetzt nach.

3
WIR SIND ALLE KLEINE SÜNDERLEIN

Beim Recherchieren fiel mir auf, dass das Wort „SÜNDE“ gar kein so altes und verstaubtes Wort ist, das aus der Mottenkiste der alten Väter kommt.

Bei den gängigen Internet-Suchmaschinen erschienen bei Abgabetermin dieses Manuskriptes zu dem Begriff „Sünde“ in weniger als einer Sekunde über 15 Millionen weiterführende Links. Das muss man sich mal vorstellen! Es ist zwar nicht unbedingt wichtig zu wissen, aber es zeigt den Trend auf, dass die Sünde doch irgendwie in aller Munde ist, allerdings landauf, landab in der ganzen Welt oft nur noch über kleine, visualisierte Teufelchen ins Lächerliche gezogen wird.

Wie reagieren die Gläubigen heute, wenn sich Menschen über christliche Inhalte und Werte oder gar den Begriff „Sünde“ lustig machen? Sie schütteln im Allgemeinen den Kopf und nehmen sich vielleicht vor, „dort nicht mehr zu kaufen“, wo mit „Teufelchen“ oder „Sünde“ geworben wird – bis zum nächsten Mal, wenn das Angebot wieder unschlagbar günstiger ist als woanders.

In dem Lied „Wir sind alle kleine Sünderlein“ wird launig besungen, dass das halt schon immer so war und uns der liebe Gott bestimmt verzeihen wird – eine arrogante Verniedlichung einer Selbsterkenntnis.

Man lacht über die Sünde und nimmt sie nicht ernst. Und man lacht über den, der ohne Sünde war, Jesus – und heute lacht man über die, die gegen die Sünde sind und für eine Umkehr predigen.

Der Pfarrer der Bremer Martini-Kirchengemeinde, Olaf Latzel, weiß ein Lied davon zu singen. Demonstrierten doch viele seiner Bremer Kanzel-Kollegen und Kolleginnen vor Jahren öffentlich gegen seine biblisch fundierten Predigten und Auslegungen. Das Fazit: Seine Gottesdienste sind seitdem Sonntag für Sonntag überfüllt. Menschen kommen von weit her, um „Schwarzbrot" zu hören, wie es eine Journalistin beschrieb, und dazu gehören für Pfarrer Latzel eben auch „Sünde", „Buße", „Himmel" und „Hölle".

Die Wahrheit zu sagen ist oft nicht leicht. Auch der Prophet Nehemia benannte das Problem:

Hör doch, unser Gott,
wie sie über uns spotten!
(Nehemia 3,36) NeÜ

König David spürte in jungen Jahren oft am eigenen Leib, wie schwer es ist, wenn andere wegen anderer Glaubensansichten über ihn lachten und sogar größere Erfolge einfuhren.

Er schreibt in Psalm 10,5:

Sie tun, was sie wollen, und alles gelingt.
Ob du sie verurteilst, berührt sie nicht;
du bist ja so fern dort oben!
Sie lachen spöttisch. GNB

Und in Psalm 44,14 schreibt er:

Du lässt uns von unseren Nachbarn verhöhnen, sie dürfen uns verlachen und beschimpfen. GNB

Auch Jeremias Ausführungen enthalten diese Spottbeschreibungen:

Die Leute meines Volkes lachten mich aus, ihre Spottlieder hörte ich jeden Tag. (Klagelieder 3,14) NeÜ

Wer weiß denn schon auf dieser Welt, was wirklich ECHT ist: das, was die Bibel-Prediger sagen, oder das, was die Weisen der Welt uns zu sagen haben? Was ist die wirkliche WAHRHEIT? Und *wenn* es sie gibt – wer besitzt sie oder wer gibt sie weiter?

4
DAS SORGENPÜPPCHEN

Bei einem Halt der MS Deutschland im Hafen von Guatemala konnte ich wegen ausgiebiger Orchesterproben nicht von Bord. Am Abend kamen die Passagiere und auch die Schauspieler, die keinen „Drehtag“ hatten, pünktlich wieder zurück. Einer von ihnen brachte mir ein kleines, in einem Säckchen eingepacktes Päckchen mit. „Hier“, sagte er, „du bist doch da empfänglich. Es ist ein Sorgenpüppchen, eine ‚Muñeca quitapena‘. Von einem Schamanen besprochen. Wenn du es am Abend unter dein Kopfkissen legst und am Morgen am Bettpfosten ausklopfst, fallen alle deine Sorgen und Verfehlungen auf die Erde, und du kannst befreit in den Tag gehen.“

Ich lachte, zumal er wegen des Schamanen auch eine ganze Stange Geld dafür haben wollte. Aber wissen Sie was? Ich kaufte es ihm, als wir nach drei Tagen wieder in See stachen, tatsächlich ab ... um es weitere drei Tage später über Bord zu werfen. Zu sehr schämte ich mich, dass ich als erwachsener Mann meine Probleme einem toten, aus Holz geschnitzten, bemalten Mini-Püppchen anvertraute. Zumindest ansatzweise.

Ich hatte zwar keine andere Lösung, Sorgen und, wie er sagte, Verfehlungen loszuwerden, aber eins spürte ich: DAS konnte es nicht sein.

Wenn man nicht weiß, was die Wahrheit ist, klammert man sich an so manches Lösungsangebot. Die Bibel sagt doch:

Prüft aber alles und das Gute behaltet.
(1. Thessalonicher 5,21) [1]

Doch was IST das Gute?

Wenn man nicht wirklich weiß, was das Gute bzw. was die WAHRHEIT ist, und wenn man das Falsche als das Richtige ansieht, dann ist dieser Satz „Prüft aber alles und das Gute behaltet“ doch für die Tonne.

Dieser Satz funktioniert nur, wenn man wirklich weiß, was das Gute ist! Dann kann man das Falsche aussortieren. Anders nicht.

Selbst Pilatus sagte zu Jesus, als dieser als Gefangener vor ihm stand: *„Was ist Wahrheit?“*

Jesus hatte es zuvor schon den Jüngern beantwortet, in dem er sagte:

ICH BIN der Weg und
DIE WAHRHEIT und das Leben.
Niemand kommt zum Vater außer durch mich.
(Johannes 14,6) [1]

Auch wenn Jesus damit in erster Linie die Frage seines Jüngers Thomas nach dem Weg beantwortete: *„Herr, wir wissen nicht, wo du hingehst; und wie können wir den Weg wissen?“* (V. 5), so waren in dieser Antwort die drei wesentlichen Elemente Jesu enthalten: der **Weg** in die Ewigkeit, die **Wahrheit**, die jede Sünde entlarvt und das **ewige Leben für die, die an IHN glauben.**

5
SÜNDE
ODER NICHT SÜNDE, DAS IST HIER DIE FRAGE!

„Sein oder nicht sein“ – Shakespeares berühmte Worte, die er den Prinzen von Dänemark in der Tragödie des Hamlet sprechen ließ, sind doch eine prima Vorlage für meine Überschrift: *„Sünde oder nicht Sünde, das ist hier die Frage!“*

Auch wir Christen merken manchmal nicht, dass es eigentlich „Sünde“ ist, was wir gerade tun, planen oder mit Neugier verfolgen. Dabei denke ich nicht nur an die Werbung, sondern insbesondere auch an die täglichen Nachrichten.

Bei dem, was ich Ihnen in diesem Kapitel vorschlage, geht es nicht darum, irgendjemanden, der im Blickpunkt des öffentlichen Lebens steht, zu richten. Dafür sorgen die entsprechenden Gazetten oder auch die Brutalität der sozialen Medien schon in steter Regelmäßigkeit selbst. Es geht darum, den eigenen Sinn zu schärfen für das, was Gott dem Moses vor Jahrtausenden mit auf den Weg gegeben hat: die Zehn Gebote. Zuzüglich derer, die Gott in seinem Wort, der Bibel, immer wieder erwähnt. Allein im Neuen Testament sind es über 1000 deutliche Aufforderungen, die Gott uns als Lebenshilfen mit auf den Weg gibt! Und wenn Sie jetzt denken: „Das ist doch nicht möglich, die alle einzuhalten", dann werden Sie bereits bei der aufmerksamen Verfolgung der Fernsehnachrichten mit dem folgenden Test merken, dass viele von diesen Geboten bereits fest in Ihnen verankert sind. Sie sind Ihnen ins Gewissen geschrieben. Nicht durch das gesellschaftliche, soziale oder religiöse Umfeld, das Sie geprägt hat, sondern von Gott selbst.

Was das Verfolgen der Nachrichten angeht: Wir können es auf dem Bildschirm sehen, wir können es in der Zeitung lesen, in den Sondersendungen hören oder im Internet angucken: Jeder, der sich „im Blickpunkt des öffentlichen Lebens" aufhält, muss sich klar darüber sein, dass er eine gewisse Bereitschaft mitbringen muss, vor aller und von aller Welt durchleuchtet zu werden. Und er muss nicht selten mit erfundenen Wahrheiten leben, die nur erfunden werden, um die Auflagenzahlen zu erhöhen.

Ist es nun Sünde, was XY da wieder auf der letzten Party getrieben hat? Ist es Sünde, dass die Mutter ihr neugeborenes Kind aussetzt? Sünde, dass der 84-jährigen Witwe nach 45 Jahren die Wohnung wegen Eigenbedarf gekündigt wird, vier Wochen, nachdem ihr Mann gestorben ist? Ist es Sünde, dass die Karrierefrau zum dritten Mal ihr Baby abtreibt, weil sie keinen Karriereknick wegen eines Kindes erleben will, wie sie in der Umfrage einer Zeitschrift beichtete?

Schreiben Sie doch einmal während einer oder mehrerer Nachrichtensendungen stichpunktartig mit, welche Meldungen Ihnen vom Sachverhalt her als „Sünde" erscheinen oder wo Sie der Meinung sind, dass sich die Menschheit von Gott und seinen Geboten entfernt.

Wenn Sie sich in der Bibel auskennen, um so besser. Falls nicht, hören Sie einmal weniger auf den Zeitgeist als auf Ihr Gewissen. Wichtig dabei ist, dass am Ende nicht Ihre eigene Vorstellung von Gut und Böse auf dem Zettel steht, sondern Ihre Vorstellung davon, was vor Gott eine Sünde ist.

Die Bibel gibt uns die Antworten auf alle Fragen, und wenn Sie, als Leser dieses Büchleins, sich nun ganz bewusst und konzentriert auch die Tageszeitung durchlesen und sie mit den Geboten Gottes abgleichen und manche Meldungen entsprechend kennzeichnen, werden Sie staunen, wie viele Markierungen Sie setzen werden, die vom Inhalt her Gott ein Gräuel sind. Dasselbe gilt für die Nachrichten in Radio und Fernsehen.

Ich habe dieses Experiment ein paar Mal in Jugendkreisen und Freizeiten durchgeführt, und Sie werden sicher nicht erstaunt sein, dass es hier in manchen Begebenheiten ganz unterschiedliche Bewertungen gab. Auch die Äußerung „man muss doch nicht päpstlicher sein als der Papst" fiel nicht nur einmal.

Nach einer Predigt, in der ich die Zehn Gebote nur kurz anriss, um nicht vom eigentlichen Thema abzukommen, ging ich auf das siebte Gebot „Du sollst nicht stehlen" ein. Ich erwähnte die vielen Ideen-Diebstähle, die Verletzungen von Urheberrechten und das illegale Kopieren oder Abschreiben der geistigen Arbeiten anderer. Aber ich erwähnte auch den gewöhnlichen Klau im Laden um die Ecke ... und in den Zehntausenden von Büros, wo neben Produktionsgütern auch Kopierpapier, Kugelschreiber, Büroklammern und vieles mehr stillschweigend den Besitzer wechseln.

„Büroklammern?“, fragte mich anschließend ein Gemeindeglied und kam dann mit der Erwähnung des obigen Zitates über den Pontifex.

Doch glauben Sie mir, wenn man diese kleine Aufgabe der Medien-Analyse immer wieder durchführt, schärft es die Sinne, und SEIN Geist hat die Möglichkeit, UNSEREM Geist diese „Zielverfehlungen“ aufzuzeigen.

Manchmal ist die Beobachtung, wohin die Gesellschaft gleitet, die beste Schule, zurück zu den Wurzeln kommen, zurück zu dem, was GOTT will.

Und doch leben und arbeiten wir in dieser Welt, weil wir keine andere haben. Noch nicht. Wie sollen wir also damit umgehen, wenn die Sünde tagtäglich in unsere Wohnstuben getragen wird, am Arbeitsplatz und überhaupt im alltäglichen Leben präsent ist? Während mancher gar nicht mehr merkt, wie „abgestumpft“ er bei den Horrormeldungen der medialen Berichterstattungen reagiert, schützen sich nicht wenige auch damit, in dem sie das Fehlverhalten anderer wie am Fließband veröffentlichen (posten) und natürlich deftig bewerten.

Doch die Bibel warnt davor:

Was siehst du aber den Splitter
im Auge deines Bruders
und nimmst nicht
den Balken in deinem Auge wahr?
(Matthäus 7,3)[1]

Der Apostel Paulus schreibt in seinem Brief an die Römer, Kapitel 2,14ff.:

Die, die nicht glauben, kennen die Gebote nicht. Und doch handeln manche von sich aus danach und tun, was die Gebote verlangen. Damit zeigen sie doch, dass das von den Geboten geforderte Tun in ihrem Herzen geschrieben steht. Dies bestätigt ihnen nicht nur ihr Gewissen, sondern auch die Art und Weise, wie sie die Entscheidungen treffen, so oder so zu handeln. Dies alles werden wir erkennen, wenn Gott über das, was in dem Menschen verborgen ist, Gericht hält. Dies gehört auch zum Evangelium, der guten Nachricht Jesu Christi, die ich mit seiner Hilfe und Kraft verkündige.* [2]

Was die rund 1000 Bibelstellen im Neuen Testament mit den deutlichen Aufforderungen (oder imperativen Lebenshilfen) angeht, habe ich mir einmal die Mühe gemacht, diese zu untergliedern; die Aufzählung würde jedoch den Rahmen dieses Büchleins sprengen. Nur so viel: Jede einzelne dieser gebotenen Empfehlungen Gottes führt bei Nichtbefolgung bzw. Umsetzung in die Tat unweigerlich in die Sünde.

So zählen zum Beispiel einige dieser Aufforderungen auf, was man unbedingt meiden sollte, um sich der Sünde fernzuhalten:

---

* Paulus meint in diesem Zusammenhang die 613 Gesetze, die in der hebräischen Bibel Thora (Unterweisung) genannt werden. In unserer Bibel sind es die fünf Bücher Mose. Doch auch im größeren Blick auf die gesamte Bibel kann die Aussage des Apostels durchaus angewandt werden.

- Streit über die Bibel, die Gebote und/oder das Gesetz (Titus 3,9);
- törichte wie unnütze Fragen (Titus 3,9 und 2. Timotheus 2,23)
- sowie ungeistliches, leeres Geschwätz (1. Timotheus 6,20);
- falsche und rasch genannte Erkenntnisse, die ohne den Heiligen Geist aufkommen (1. Timotheus 6,20)
- und es gilt, die „Unruhestifter" zu meiden (Römer 16,17).

Rund vierzig Aufzählungen beginnen mit dem Aufruf „Seid ...!" („seid klug" [Matthäus 10,16]; „seid ohne Falsch" [Matthäus 10,16]; „seid bereit" [Matthäus 24,44, Lukas 12,40]; „seid fröhlich" [Matthäus 5,12]; „seid getrost" [Matthäus 14,27]) usw.

Ich möchte es noch einmal wiederholen, weil es gar nicht oft genug gesagt werden kann: Wenn man diese „Hilfestellungen" allein im Neuen Testament aufmerksam verfolgt und möglichst auch befolgt, stellt man fest, dass jedes Nichtbefolgen in der Folge dazu führt, dass man sich von Gott entfernt – und das nennt die Bibel Sünde.

Es ist uns, wie damals im Paradies, freigestellt, all dies zu befolgen oder auch nicht. Und ganz ehrlich: Wenn ich mich jetzt hinsetzen und diese „1000 Anweisungen plus X" auswendig lernen würde, könnte es passieren, dass in meinem ganzen Wesen und Charakter sehr schnell die Gesetzlichkeit Raum einnehmen würde, und diese negative Veränderung ist mit den wunderbaren Handreichungen Gottes in seinem Wort keineswegs gewollt.

Über sehr viele dieser Anweisungen braucht der normal denkende Mensch eigentlich gar nicht großartig nachzudenken. Sie sind in uns, und ihre Befolgung scheint uns wie selbstverständlich.

Wenn ich die Bibel regelmäßig lese und studiere, nehme ich all ihr Wissen immer wieder neu auf, und mithilfe des Geistes, der in diesem Wort wie auch in jedem gläubigen Menschen präsent ist, vertiefen sich die Wünsche und Lebensregeln des Schöpfers in mir.

6 FÜR DEN EINEN IST ES SÜNDE, FÜR DEN ANDEREN NICHT

Die Bibel nennt uns die wesentlichen Dinge deutlich und direkt beim Namen. Auch die, die vor Gott nicht recht sind, meist mit dem Hinweis, wie wir uns in bestimmten Situationen verhalten sollten. Auch die sogenannte „Anwendung“, wie ich den Text umzusetzen habe, zieht sich wie ein roter Faden durch alle Bücher der Bibel.

Eine der grundlegendsten Verhaltensregeln, nämlich bei der Wahrheit zu bleiben, steht zum Beispiel in der Bergpredigt.

Eure Rede aber sei: ja, ja; nein, nein.
Was aber darüber hinausgeht,
das ist vom Bösen.
(Matthäus 5,37) [1]

Sind es nicht tatsächlich immer wieder diese „kleinen“ Unwahrheiten, mit denen sich viele Menschen durch den Alltag schlängeln? Und dann, wer will es entscheiden: Ist die kleine Lüge am Arbeitsplatz, um einfach das Gesicht zu wahren, genauso „sündig“ wie die klare, bewusste Lüge in die Kameras der Welt?

Auch das nächste „Gebot" hat es in sich, und vorweggesagt, sie gilt für beide Geschlechter:

Ich aber sage euch:
Wer eine Frau mit lüsternem Blick ansieht,
der hat schon mit ihr
die Ehe gebrochen in seinem Herzen.
(Matthäus 5,28) [1]

Man wird die Zahlen nie messen oder gar statistisch festhalten können, wie oft im Kopf eines Menschen im Sinne des obigen Verses bereits „Ehebruch" begangen wurde. In den meisten Fällen ist es am Ende eine saudumme Angewohnheit, dem anderen Geschlecht hinterherzuschauen – oder einfach eine schlichte „Disziplinlosigkeit vor dem Partner – und gegenüber Gott!"

„Jedes Unrecht ist Sünde." Die Frage, ob „ein Verstoß gegen die Moral" denn schon Sünde sei, wird von der Bibel also eindeutig beantwortet.

Heutzutage ist der, der einen Verstoß gegen die Gebote der Bibel aufzeigt oder öffentlich macht, zum unerwünschten „Moral-Apostel", der das gesellschaftliche Leben damit nicht nur ziemlich durcheinanderbringt, sondern gleich mehrere verbale Diffamierungen in Form von Internet-Bashing über sich ergehen lassen muss. Ähnlich war das übrigens in frühen biblischen Zeiten: Der Überbringer der Nachricht wurde gemeuchelt.

Selig seid ihr, wenn euch die Menschen
um meinetwillen schmähen und verfolgen
und allerlei Böses gegen euch reden,

sofern sie damit lügen.
Seid fröhlich und getrost; es wird euch
im Himmel reichlich belohnt werden.
Denn so haben sie die Propheten verfolgt,
die vor euch gewesen sind.
(Matthäus 5,11-12) [1]

Wenn „Sünde“ eine Verfehlung des Ziels ist, das da heißt, Gott nahe zu sein, mit Gott Gemeinschaft zu haben – gilt das dann auch für den Menschen, der dieses Ziel gar nicht hat?

Dieses Ziel, Gott nahe zu sein, mit ihm Gemeinschaft zu haben … das hat doch nur der, der fromm ist, nur der, der glaubt – und nicht der, der nicht glaubt, oder?

Wird Sünde erst zur Sünde, wenn ich klar weiß, dass ich etwas gegen Gottes Willen tue? Ist es für den einen vielleicht Sünde – und für den anderen nicht?

Der eine will Halli-Galli und Party ohne Ende und er misshandelt seinen Körper mit Alkohol und Drogen – der andere ist gottesfürchtig und versucht, bestimmte Dinge zu meiden oder zu umgehen, weil sie ihn von dem innerlichen tiefen Wunsch abbringen, Gott nahe zu sein.

Der eine macht in großer Freude sein Leben kaputt – und der andere quält sich Tag für Tag, die Gebote zu halten ...

Dass kann doch keine Sünde sein, wenn ich mir ein anderes Lebensziel gesteckt habe als der fromme Arbeitskollege, der sich einen Liedvers von Georg Weissel unter die durchsichtige Schreibtischunterlage geschoben hat:

*Such, wer da will, ein ander Ziel,
die Seligkeit zu finden;
mein Herz allein bedacht soll sein,
auf Christus sich zu gründen.*

Die Frage ist für jemanden, der das wunderbare Geschenk des Glaubens noch nicht erfahren durfte, durchaus berechtigt. Sie liegt sowohl im natürlichen menschlichen Geist begründet wie auch im Zeitgeist unserer Gesellschaft, der die Sünde im bereits erläuterten biblischen Sinne schon längst nicht mehr als solche empfindet.

Erst der Heilige Geist lehrt uns, die Dinge auch im biblischen Verständnis zu unterscheiden. Wenn die Bibel Gottes Wort ist und der Heilige Geist Gottes Geist, dann macht das ja auch Sinn.

Haben Sie schon einmal versucht, Ihre Kinder sexuell aufzuklären? Die fragen doch zurück: „Ist gut, Papa, was willste denn darüber wissen?"

Gerade in der heutigen Sexual-Ethik fährt der Zug des Begreifens so rasch ab, dass man schon im nächsten Bahnhof ist, bevor man den Sitzplatz erreicht hat. Die Sünde der Menschheit hat in den letzten Jahren so an Fahrt aufgenommen, dass die Menschen nicht mehr über Recht und Unrecht nachdenken, sondern mitgerissen werden im Strudel der Pornografie und sexuellen Freizügigkeit. Vergnügen auf der einen Seite, Ehebruch auf der anderen. „Sünde? Ach, hör mir doch auf ...! Wir leben eine offene Ehe." Man muss dem Ganzen nur einen Namen geben.

Denn der HERR, euer Gott,
ist gnädig und barmherzig und
wird sein Angesicht nicht von euch wenden,
wenn ihr euch zu ihm bekehrt.
(2. Chronik 30,9b)[1]

Wenn wir sagen, dass wir
Gemeinschaft mit ihm haben,
aber in der Finsternis wandeln,
dann lügen wir und tun nicht die Wahrheit.
(1. Johannes 1,6)[1]

Jesus sprach zu dem Gelähmten, den er gerade geheilt hatte:

Deine Sünden sind dir vergeben.
(Markus 2,5b)[1]

Die Sexual-Ethik (und nicht nur die) hat den Wandel unter der Führung Satans voran gebracht. Wenn wir auf die Endzeit-Predigten Jesu in Lukas 13 und Matthäus 24 hören sowie den diesbezüglichen Mahnungen der Apostel folgen, haben wir die Spitze des Eisberges noch lange nicht erreicht.

Das Sündenbewusstsein der Gesellschaft, die ohne Gott lebt, ist nicht mehr präsent – und auch bei denen, die einmal von der Sündenvergebung durch Jesus Christus gehört haben oder bislang ihrem „Gewissensgehorsam“ gefolgt sind, ist nichts mehr von der Erkenntnis eines Fehlverhaltens vorhanden. Dass, was früher noch unter christlicher Ethik kommuniziert und auch von nicht gläubigen Menschen durchaus verstanden wurde, ist heute kein Thema mehr.

Vergnügen, Ich-Bezogenheit und Überlebenskampf stehen im freiheitlichen Lebensdrang ohne Gott an erster Stelle, und Schuld, Buße und Vergebung sind den nachfolgenden Generationen unbekannt und fremd.

Für die Entwicklung der gesellschaftlichen Kultur eines „Schuld-Erkennens" können nur die genannten Begriffe Sünde, Buße und Vergebung den Menschen weiterbringen, jedoch immer in der Verbindung mit Evangelium von Jesus Christus.

Eine Schuld, die hier auf der Erde vor dem Gesetz entstanden ist, muss auch mit irdischen Gesetzen juristisch geahndet werden. Man bekommt ein Bußgeld oder eine Strafe, die dann irgendwann getilgt ist.

Die Schuld des Menschen vor Gott kann auch nur von Gott getilgt werden – und wird es auch.

Denn so sehr hat Gott die Welt geliebt,
dass er seinen einzigen Sohn hingegeben hat,
damit alle, die an ihn glauben,
nicht verloren gehen,
sondern ewiges Leben haben.
Denn Gott hat seinen Sohn nicht dazu
in die Welt gesandt, dass er die Welt richte,
sondern dass die Welt durch ihn gerettet werde.
(Johannes 3,16.17) Menge-Bibel

Das Problem für viele Menschen ist, das gebe ich offen zu, dass der Mensch seit Jahrhunderten bis in unsere letzte Generation hinein, als ein sünden- und schuldbeladenes Wesen dargestellt wird.

Die heutige Ethik über die Sünde lehnt die Betonung der Schlechtigkeit und Verdorbenheit des Menschen rigoros ab. Oberhand hat der Begriff der im Grundgesetz verankerten Menschenrechte bekommen. Dies hat auch in so manchen liberalen Kirchen und Gemeinden die biblische Auffassung des auf alle Zeiten verlorenen Menschen nicht unberührt gelassen.

Gerade auch in erzieherischen Aspekten, wo nur noch das Gute mit all seinen Gaben gefördert wird und alle negativen Erlebnisse oder Einflüsse im Keim erstickt werden, will man Fehlentwicklungen tunlichst nicht ansprechen, sieht man sich doch keinem Gott mehr verpflichtet.

Das Angst machende „Gott sieht alles!“, welches man früher den Kindern einbläute, damit sie ihr Fehlverhalten nicht wiederholten, ruft heute nur noch ein Lächeln und Unverständnis hervor.

HERR, du erforschst mich und kennst mich.
Ob ich sitze oder stehe, du weißt es;
du verstehst meine Gedanken von fern.
Ob ich gehe oder liege, du prüfst mich
und siehst alle meine Wege.
Denn siehe, es ist kein Wort auf meiner
Zunge, das du, HERR, nicht schon wüsstest.
(Psalm 139,1-4) [1]

Dabei sind die Konsequenzen, die die Bibel für Sünder aufzeigt, unverändert deutlich – das Angebot des Rettungsankers jedoch auch.

Aber der Lohn der Sünde
ist am Ende der ewige Tod.
Das Geschenk Gottes ist jedoch
(nach Sündenerkenntnis, Buße und Vergebung)
das ewige Leben in unserem Herrn,
Jesus Christus.
(Römer 6,23) [2]

Auch wenn man meinen würde, das Phänomen des „Nichterkennens von Sünde“ in der heutigen Zeit sei neu – es ist es nicht. Auch Jesus musste schon damals immer wieder darauf hinweisen, was Sünde ist. Geändert hat sich daran bis heute nichts. Prediger in aller Welt tun es ihm so gut wie möglich gleich.

7
DER MAẞSTAB GOTTES

Haben Sie immer gleich eine biblische Antwort parat, wenn Sie eine Sünde in Ihrem Leben entdecken? Möglicherweise nicht. Sie wissen nur: Das ist vor Gott nicht recht. Entweder, weil Sie es im Laufe der Jahre durch regelmäßiges Bibellesen und durch das Gemeindeleben gelernt haben oder weil der Heilige Geist es Ihnen klarmacht, dass es sich um Sünde, sprich: um „eine Entfernung von Gottes Maßstäben", handelt. Oder Sie wissen es, weil das bereits erwähnte Gewissen Sie mahnt.

Wenn wir nun genau erkennen wollen, ob es sich um eine solche „Zielverfehlung" handelt oder nicht, brauchen wir einen Maßstab.

Dazu ein Beispiel: Jeder Handwerker hat ein Metermaß in der Tasche. Damit kann man genau erkennen, ob das Brett, das man sich zusätzlich in sein Bücherregal legen will, passt. Oder ob es zu lang oder zu kurz ist. Wenn es zu kurz ist, muss ein anderes her, wenn es zu lang ist, wird's passend gemacht. Ohne Maßstab geht das jedoch nicht.

Wenn morgen nun ein anderer Handwerker kommt, weil der erste woandershin beordert wurde, dann hat der auch einen Zollstock. Einen anderen – aber mit der gleichen Millimeter-, Zentimeter- und Metereinteilung wie der Kollege. Und so geht das weiter: Alle Handwerker in unserem Land haben solch einen Zollstock mit den gleichen Maßeinteilungen.

Nun kommt ein schlauer Erfinder daher und sagt: „Ha, ich habe *die* Idee, ich habe eine Marktlücke entdeckt, ich stelle neue Zollstöcke her mit einem anderen Maß. Und die verkaufe ich dann in ganz Europa, und wenn ich Glück habe, in der ganzen Welt."

Sie wissen es schon längst: Das wird nicht gehen. Die Leute, die das Metermaß benutzen, werden irgendwann, nachdem sie das Brett abgesägt haben, feststellen, dass es jetzt erst recht nicht passt. Ganz nach dem Motto: „Dreimal abgesägt und immer noch zu kurz." Es klappt nicht, weil das Regal nach dem alten Maß zusammengebaut und nach dem neuen Maß ergänzt werden sollte.

Es war natürlich eine Beispielgeschichte, denn es ist gesetzlich verboten, DIN-Maße mal eben durch andere zu ersetzen. Es muss also ein Universalmaß her, eines, das alle kennen und alle benutzen. Und es muss einen geben, der das Maß vorgegeben hat. Hinter jeder Sache steckt auch immer jemand, der sie erfunden hat, der den „ersten Gedanken" dazu hatte.

Um bei dem Metermaß zu bleiben: Es gibt ihn tatsächlich, den sogenannten „Urmeter". Das Universalmaß, an den sich alle halten und sich übrigens per Gesetz dran zu halten haben. Der Urmeter, auch *„mètre des archives"*, liegt seit 1793 in Paris im Tresor und ist exakt der „zehnmillionste Teil" eines kompletten Erdmeridian-Quadranten, auch Längengrad-Quadrant genannt. Phänomenal!

Gott, als Schöpfer dieser Erde und allem, was in ihr ist, hat durch die Abstände der Pole sogar die Vorlage für diese Maßeinheit gegeben! Und wenn er es hier schon „millimetergenau“ nimmt, dann hat er auch eine Lösung für das Sündenproblem des Menschen bereit.

Beim Meter ist es also der Urmeter – und bei der Sünde ist es die Ursünde, und die liegt nicht in Paris, wie einige möglicherweise vermuten.

Ich will Sie nicht schockieren, doch das sollten Sie wissen: Die Ursünde oder auch Erbsünde genannt, weil wir automatisch mit der Neigung zur Sünde geboren werden, liegt begründet im Nicht-Gehorchen von Gottes Anweisung durch die ersten Menschen. Die Folge war die Ausweisung aus dem Paradies. Vielleicht sagen Sie nun auch: „Sünde vererben, das wird ja immer doller! Hör mir doch auf!“

Wir schauen in die Bibel.

Durch einen einzigen Menschen,
das war Adam, kam die Sünde in die Welt
und durch die Sünde kam der ewige Tod.
Auf diese Weise gelangten
das Sterben und der Tod zu allen Menschen,
weil sie durch diese Sünde
zu Sündern geworden waren.
(Römer 5,12) [2]

Und auch David erkennt in Psalm 51,7:

In Schuld bin ich geboren,
und in Sünde hat mich
meine Mutter empfangen. [1]

*Durch die Gebotsübertretung des einen Menschen (des alten Adams)
kam es dazu, dass alle verurteilt wurden.
Ebenso bewirkt die Gehorsamstat des einen (des neuen Adams: Jesus Christus),
dass alle für gerecht erklärt werden und leben.
(Römer 5,18 GNB)*

Die Wissenschaftler Prof. Mark Y. Stoeckle der Rockefeller University in New York und Prof. David S. Thaler des Biozentrums der Universität Basel rangen sich in einer aktuellen, bemerkenswerten Studie*[1] zu dem Fazit durch, dass nicht nur mehr als 90 Prozent aller Tierarten von nur einem einzigen Paar abstammen, sondern – Achtung: auch jeder einzelne Mensch!

Und gleichzeitig waren sich die Verfasser der wissenschaftlichen Studie einig, dass die „singulären Ahnenpaare" nicht vor Hunderten Millionen Jahren gelebt haben sollen, sondern vor maximal zweihunderttausend Jahren. Das wäre das Ende aller Fallbeispiele jeglicher Evolutionstheorien.**

Die beiden ersten von Gott geschaffenen Menschen waren in ihren Taten und Entscheidungen völlig frei, sie konnten tun und lassen, was sie wollten – nur eben das eine nicht: von diesem Baum, der Gott gehörte, die Früchte zu nehmen und zu essen. Das war wirklich das Einzige, was sie nicht tun sollten! Adam und Eva hatten

---

* „Why should mitochondria define species?" von Stoeckle, M.Y. & Thaler, D.S. | „Human Evolution" Vol. 33 – n.1-2 (1-30) – 2018. DOI: 10.14673/HE2018121037 (pdf).

** „Die ganze Menschheit stammt von einem Paar ab", Artikel von Thomas Lachenmaier, ETHOS 5.2019, S. 36

keine „Zehn Gebote“ und auch keine „1000 plus X-Aufforderungen“, sie hatten nur diese eine Anweisung Gottes zu befolgen: „Esst nicht von diesem Baum!“ Alles andere war selbstverständlich für sie, und eigentlich war es doch richtig harmonisch in ihrem Paradies. Gott besuchte sie im Garten (1. Mose 3,8):

Und sie hörten Gott den Herrn,
wie er im Garten ging,
als der Tag kühl geworden war. [1]

Ein Zustand, der übrigens wieder einmal so kommen wird:

Siehe da,
die Wohnung Gottes bei den Menschen!
Und er wird bei ihnen wohnen,
und sie werden sein Volk sein,
und er selbst, Gott mit ihnen,
wird ihr Gott sein.
(Offenbarung 21,3) [1]

Adam und Eva waren frei – doch trotz unzähliger anderer Bäume und Sträucher trieb sie die Neugier zu dieser einen verbotenen Frucht an diesem einen verbotenen Baum.

Was das angeht, erinnere ich mich übrigens nur zu gut an meine Kindheit. Immer, wenn es hieß: „Dies darfst du nicht“ oder „hier darfst du nicht rangehen“, dann war die Verlockung doppelt und dreifach groß.

Der Teufel hatte bei Adam und Eva leichtes Spiel – und im Grunde hat es sich auch bis heute nicht geändert – wenn man dem Menschen sagt: „Tu's nicht", dann tut er's.

GOTT nennt jede geistige und tatsächliche Entfernung von seinen Geboten und seinem Willen „Sünde". Adam und Eva waren die Ersten, die diese Sünde begingen.

Die Entfernung von Gottes Willen führte dazu, dass der Mensch sterblich wurde, aus dem Status der Ewigkeit, dem Paradies, gewiesen wurde und den Auftrag erhielt, nun für sich selbst zu sorgen. Ich wiederhole:

Diese Verfehlung der beiden wird die „Ur-" oder die „Erbsünde" genannt, und weil jede Sünde zum Tod führt, müssen wir nicht nur physisch, sondern auch geistig sterben und können damit ganz automatisch nicht mehr an diesem ewigen Leben, an der Gemeinschaft mit Gott, teilhaben.

Genau das ist der entscheidende Faktor, der sich durch die ganze Bibel zieht: Wir Menschen müssen sterben und nehmen ganz automatisch nicht mehr am ewigen Leben teil! Doch dieser bedauerliche Zustand ist änderbar, und ich komme noch darauf zu sprechen.

Zurück zum Maßstab. Zu Gottes Maßstab, damit wir real erkennen können, was denn nun in den Bereich der Sünde fällt – und was nicht.

Die Bibel ist in unzähligen Stellen recht deutlich, hier eine Auswahl der starken Verse:

Wer sündigt, lehnt sich gegen Gott auf,
denn Sünde ist nichts anderes
als Auflehnung gegen Gott.
(1. Johannes 3,4) NGÜ

Jedes Unrecht ist Sünde.
(nach 1. Johannes 5,17) [NeÜ]

Denn die Sünde hat einen Lohn,
das ist der ewige Tod.
Das Geschenk Gottes aber ist das ewige Leben,
erhältlich durch Jesus Christus,
unseren Herrn.
(Römer 6,23) [2]

So kehrt nun um von eurem falschen Weg
und entscheidet euch
für ein Leben mit Christus,
damit eure Sünden vergeben
und für immer gelöscht werden.
(Apostelgeschichte 3,19) [2]

Wenn Sie das Experiment mit der Bewertung von Nachrichtenmeldungen, das ich Ihnen einige Seiten vorher beschrieben habe, durchführen, werden Sie feststellen, dass man schon bald nicht mehr wirklich weiß, ob es gegen Gottes Gebot verstößt oder es sich „nur um einen Verstoß gegen die Moral handelt", wie es vor Kurzem jemand in einer Bibelarbeit formulierte: „Ich bitte Sie: Ist ein Verstoß gegen die Moral denn auch schon Sünde?"

Wir lasen die Antwort, nämlich dass jedes Unrecht bereits Sünde ist, bereits.

8
SÜNDE, WAS IST DAS?

Ich denke, es ist wirklich nicht wichtig für die Menschheit, was die Gesellschaft über die Sünde denkt, sondern einzig und allein, was Gott selbst darüber sagt. Und da können Sie Seite für Seite seines Wortes durchblättern, von vorne bis hinten und zurück: Da ist im Zusammenhang mit der Sünde keine einzige Aussage, nicht die geringste Spur von „Verniedlichung“ oder „Belanglosigkeiten“ zu entdecken.

Die Bibel sagt klar: Sünde ist eine Verfehlung des Ziels. Das griechische Wort *harmatia* hat auch die Bedeutung: „etwas nicht treffen“ oder „etwas falsch machen“. Auch der griechische Dichter Homer (ca. 780 v. Chr.) gebrauchte in seinem Werk „Ilias“ dieses Wort „für einen Speer, der sein Ziel nicht trifft“.

Genau dieses Wort wird im griechischen Urtext für das verwendet, was Dr. Martin Luther in seiner Übersetzung dann Sünde nannte. Möglicherweise geht dieses Wort auf den germanischen Begriff „Sund“ zurück, der die Trennung zweier Landmassen durch eine Meeresenge beschreibt.

Mit diesem Begriff gesprochen, sollten wir uns bei der Fahrt möglichst in der Mitte von Gottes Fahrrinne aufhalten.

Auch für die Gebote Gottes verwende ich übrigens gerne dieses maritime Bild:

„Die Zehn Gebote Gottes sind wie die Bojen am Rande einer Fahrrinne. Sie weisen den Menschen auf die Hindernisse und Untiefen des Lebens hin, damit sein Schiff keinen Schaden nimmt oder gar sinkt.“

Jesus erklärt in der Bergpredigt die menschliche Unterscheidung in Sünden des Herzens, z. B. wie Hass, und Sünden der Tat, wie Mord, für nicht richtig.

Jede Sünde der Tat hat ihren Ursprung im sündigen Herzen, daher ist der Hass auf meinen Bruder genauso eine Sünde wie ein tatsächlich durchgeführter Mord.

Viele Menschen halten sich für moralisch „ganz okay“, weil sie noch keinen schweren Raub oder Betrug begangen haben. „Ja, der Massenmörder, der ist schlecht“, denken sie, „aber ich bin doch nicht so schlimm, das bisschen Schummeln oder Lästern wird Gott ganz bestimmt nicht so streng bewerten.“

Die Bibel spricht jedoch an keiner Stelle von leichten oder kleinen Sünden, sondern immer von großen und von schweren Sünden, die zum ewigen Tod führen. Sie macht aber deutlich, dass es unterschiedliche Schweren von Schuld gibt und dass unterschiedliche Sünden unterschiedliche Konsequenzen haben. Doch nirgends ist von Bagatellsünden die Rede, denn jede Sünde ist eine Sünde gegen Gott.

Folgen Sie mir zu einigen diesbezüglichen biblischen Beispielen:

Denn wir, die Engel Gottes,
werden diesen Ort verderben, weil das
Geschrei über ihn groß ist vor dem HERRN.

ER hat uns gesandt, diesen Ort zu vernichten.
Und Lot ging hinaus und redete
mit den Männern, die (eigentlich) seine
Töchter heiraten sollten:
Los, macht euch auf und geht rasch hinaus
aus diesem Ort, denn der HERR wird diese
Stadt untergehen lassen.
Aber sie fanden es lächerlich.
(1. Mose 19,13-14) [2]

So war die Sünde der Männer
sehr groß vor dem HERRN,
denn sie verachteten das Opfer des HERRN.
(1. Samuel 2,17) [1]

Der Priester Esra war der geistliche Führer des Volkes Israel. Er machte sich zum Sprecher aller und bekannte das Geschehene als Schuld vor Gott:

Und Esra sprach:
Mein Gott, ich schäme mich und
scheue mich, meine Augen aufzuheben
zu dir, mein Gott; denn unsere Missetat
ist über unser Haupt gewachsen,
und unsere Schuld ist groß bis an den Himmel.
(Esra 9,6) [1]

David schreibt in Psalm 25,11:

Um deines Namens willen, HERR,
vergib mir meine Schuld, denn sie ist groß! [1]

Auch Jesus zeigt in der Passionserzählung in Johannes 19,11 klar die Schwere einer Sünde auf, als er eine Drohgebärde des Pilatus, immerhin Repräsentant der damaligen römischen Weltmacht, mit dem Hinweis beantwortet, dass die größere Schuld (Sünde) bei den jüdischen Führern liege als beim politischen Herrscher. Dieser regiere immerhin aus Gottes Gnaden:

Jesus antwortete (dem Pilatus):
„Du hättest keine Macht über mich,
wenn sie dir nicht von oben gegeben wäre,
darum hat der, der mich dir überliefert hat,
größere Sünde."
(Johannes 19,11) [1]

In der Bergpredigt macht Jesus deutlich, dass nicht nur die ausgeführte Tat schlimm ist, sondern bereits der Hass im Herzen, denn dort hat die Sünde ihren Ursprung.

Jede Sünde beginnt mit einem ersten Gedanken …

9
DER ERSTE GEDANKE

Damit wären wir bei einem weiteren großen Thema, das unweigerlich zur „Sünde“ gehört. Überlegen Sie einmal: Bei allem, was Sie anfassen und sehen können, war der Ursprung immer ein Gedanke; jemand hat etwas erfunden oder durch Experimentieren kreiert. Und auch jeder Mensch, der an uns vorbeigeht, ist in der Regel das wunderbare Produkt zweier Menschen, die meist den „Gedanken“ hatten, ein Kind zu zeugen.

Jede silberne, goldene, diamantene Hochzeit hatte als Ursprung einen Gedanken, nämlich den Weg „in guten wie in schlechten Zeiten gemeinsam zu gehen“.

Doch auch bei jedem Krieg, den wir über die Medien frei Haus in unsere Wohnzimmer geliefert bekommen, jedem Streit zwischen Familienbanden oder auch zwei einzelnen Menschen: Auch hier ist immer ein Gedanke der Auslöser. Ganz gleich, ob es Hochmut, Neid, Hass oder Angst ist – irgendwo hat alles seinen Anfang: im Kopf eines Menschen.

Auch Jesus wusste genau, wo die Feindschaft der Hohenpriester und Schriftgelehrten ihm gegenüber ihren Ursprung hatte, und sogar der bereits erwähnte Pilatus *„wusste, dass ihn (Jesus) die Hohenpriester aus Neid überliefert hatten“* (Markus 15,9-11).

In Matthäus 15,17ff. finden wir eine Begebenheit, in der Jesus deutlich macht, warum die Sünde im Menschen so viele Früchte trägt:

Versteht ihr denn nicht:
Alles, was in den Mund hineinkommt,
kommt in den Magen und wird
vom Körper wieder ausgeschieden.
Aber das, was aus dem Mund herauskommt,
das kommt aus dem Herzen.
Das macht den Menschen unrein.
Denn aus dem Herzen der Menschen
kommen: böse Gedanken, Mord, Ehebruch,
sexuelles Fehlverhalten, Diebstahl, falsche
Zeugenaussagen und Lästerungen.
Das ist es, was den Menschen unrein macht
(von Gott wegbringt, verdirbt). BasisBibel

Markus hat in seinem Evangelium noch einige Beispiele Jesu mehr notiert (Markus 7,21ff.):

... denn von innen, aus dem Herzen der
Menschen, kommen böse Gedanken heraus,
Unzucht, Diebstahl, Mord, Ehebruch,
Habgier, Bosheit, Arglist, Ausschweifung,
Missgunst, Lästerung, Hochmut, Unvernunft. [1]

Und alles davon hat immer auch einen ersten Gedanken.

Den ganzen Tag über denken wir. Wenn wir einen Vortrag halten, mit dem Nachbarn überm Zaun die

Welt verbessern, unter Wasser schnorcheln oder aus ein paar tausend Metern mit dem Fallschirm abspringen. Wenn wir im Allgäu auf der Bank sitzen und den Kühen beim Abtrieb zuschauen oder am Schreibtisch eine Verkaufsstrategie entwickeln. Immer und überall denken wir. Auch wenn die Menschen sagen, sie oder er habe gedankenlos gehandelt, stimmt dies so nicht. Es gibt keinen Moment ohne Gedanken.

Wenn ich ein Klavierstück einübe, entstehen bei mir Bilder im Kopf, die ich über meine Gedanken dann wieder in Improvisationen umsetze.

Die Gedanken sind eine der genialsten und interessantesten Erfindungen unseres Schöpfers. Doch wir müssen sie pflegen. Nicht selten treiben sie uns in schlaflose Nächte. Viele erkranken daran, wenn die Lebenssituationen auf Dauer negative Entwicklungen aufzeigen und den Geist niederdrücken (lat.: *deprimere*) und eine Endlosschleife negativer Gedanken den Antrieb dämpft oder gar blockiert.

Denken Sie einmal kurz nach: Hat sich in Ihrem Leben in einem oder mehreren Bereichen ein Verhaltensmuster eingeschlichen, bei dem Sie genau wissen, dass es vor Gott nicht in Ordnung ist? Oder – wenn Sie dies noch nicht so beurteilen können, ob es vor Gott rechtens oder nicht rechtens ist – bei dem Ihnen Ihr Gewissen sagt, dass es Ihnen auf Dauer nicht guttut?

Dann darf ich, der über Jahrzehnte seine sündigen Rituale gelebt und gepflegt hat und über Jesus Christus Vergebung fand, Ihnen sagen:

Fangen Sie an, den Kampf des Glaubens bereits in Ihren Gedanken zu führen und nicht erst, wenn die Sünde getan ist. Es gilt, Christus zu ehren, den Vater zu preisen und den Geist Gottes nicht zu dämpfen.

Unsere Gedanken, vom Zeitgeist beeinflusst, sind die von uns selbst angelegte Brutstätten der Sünde.

Ich will Ihnen das anhand einiger Verse offenlegen:

Denn ich (GOTT) weiß ihre Gedanken,
mit denen sie schon jetzt umgehen.
(5. Mose 31,21) [1]

Der HERR kennt die Gedanken der Menschen,
er weiß, dass sie nichtig sind.
(Psalm 94,11) [1]

HERR, du erforschst mich und kennst mich.
Ob ich sitze oder stehe, du weißt es;
du verstehst meine Gedanken von fern.
Ob ich gehe oder liege,
du prüfst mich und siehst alle meine Wege.
Denn siehe, es ist kein Wort auf meiner
Zunge, das du, HERR, nicht schon wüsstest.
(Psalm 139,1-4) [1]

Doch nicht nur der Vater im Himmel kennt unsere Gedanken von Ferne. Auch Jesus wusste, als er hier auf der Erde war, um die Gedanken derer, die um ihn herum waren, und konnte aufdecken, was in ihnen vorging, ob bei seinen Jüngern oder seinen Widersachern, den Schriftgelehrten und Pharisäern.

Beispiele aus den Evangelien:

Als aber Jesus ihre Gedanken erkannte,
sprach er:
„Warum denkt ihr Böses in euren Herzen?"
(Matthäus 9,4) [1]

Jesus kannte aber
(die) Gedanken (der Pharisäer)...
(Matthäus 12,25) [1]

Sie sehen also, dass unsere Gedanken nur unsere Gedanken sind, die außer uns lediglich Gott allesamt kennt. Vater und Sohn wissen daher auch um alle Sünden, mit denen wir uns gedanklich befassen.

Unsere irdische Gesinnung, die Bibel nennt sie oft „Fleisch", kämpft gegen den Heiligen Geist, weil wir unseren Begierden nachgeben und den Geist damit „dämpfen". Und der Heilige Geist kämpft mit all den biblischen Erkenntnissen, die wir bereits aufgenommen haben, gegen unsere irdische Gesinnung. Und beide, irdischer Geist und Heiliger Geist, ringen unablässig miteinander.

Und dann noch 2. Korinther 10,3ff. Die Verse zeigen auf, dass der Apostel Paulus wusste, welche Gewalten in der unsichtbaren Welt um uns kämpfen:

Denn obwohl wir im Fleisch leben,
kämpfen wir doch nicht auf fleischliche Weise.
Denn die Waffen unsres Kampfes sind nicht
fleischlich, sondern mächtig im Dienste
Gottes, Festungen zu zerstören.
Wir zerstören damit Gedanken und alles Hohe,

das sich erhebt gegen die Erkenntnis Gottes, und nehmen gefangen alles Denken in den Gehorsam gegen Christus. BasisBibel

Gott hat nichts Böses in sich, ist nicht sündig und kennt keinen Hinterhalt. Auch sein Sohn ist ohne Sünde geboren und hat jeder Sünde widerstanden. Und so sind Gottes Gedanken uns gegenüber gut. Ganz gleich, was wir tun, was wir denken, was wir planen, sie sind gut und grundsätzlich friedvoll. Dennoch ist nicht alles, was uns widerfährt, gut. Böses geschieht, weil wir in einer gefallenen Welt leben. Trotzdem bleiben Gottes Grundabsichten gut.

Und der Herr spricht:
„Denn ich weiß sehr wohl,
welche Gedanken ich über euch habe.
Es sind Gedanken des Friedens
und nicht des Leides,
sodass ich euch die Zukunft und die Hoffnung
gebe, auf die ihr wartet."
(Jeremia 29,11) [2]

Als ich mich während meiner Weltreisen in den asiatischen Metropolen häuslich niederließ, insbesondere jedoch in Penang/Malaysia, ließ ich mich für viel Geld in die Geheimnisse der Meditationen einweisen. Grundsätzlich lernt man dort diszipliniert, die Gedanken völlig auszuschalten bzw. wegzublenden. Sie sagen, das geht nicht, man denkt immer irgendetwas? Das dachte ich auch. Aber es geht. Es ist jedoch nicht ungefährlich.

Wenn wir nicht mehr denken, wenn unser Geist nicht mehr kämpft bei den vielen Entscheidungen, dann geben wir in einem gedankenlosen Zustand unseren Körper frei für andere Geister und Dämonen, die sehr rasch das Zepter in die Hand nehmen können.

Wer an Christus glaubt, darf diese Experimente nicht ausführen, denn sie führen von Gott weg, und alles, was uns von ihm entfernt, ist Sünde.

Wer zu diesem Büchlein gegriffen hat, weil ihn interessiert, was Gott zur Sünde sagt, ist ihm näher als zuvor. Was für eine Chance, das JA zu IHM und Jesus Christus auszurufen! Geben Sie anderen Geistern keine Grundlage mehr, Sie zu beeinflussen oder Sie gänzlich einzunehmen! Lassen Sie sich versöhnen mit dieser Welt des Glaubens!

Hier noch einige interessante Bibelstellen dazu:

Und stellt euch nicht dieser Welt gleich,
sondern lasst euch durch die Erneuerung
eures Sinnes umgestalten,
damit ihr prüfen könnt, was der gute,
wohlgefällige und vollkommene Wille Gottes ist.
(Römer 12,2) [1]

... dass ihr euch stattdessen im Geist eurer
Gesinnung erneuern lasst und
den neuen Menschen anziehen müsst,
der nach Gottes Ebenbild
in wahrhaftiger Gerechtigkeit und Heiligkeit
geschaffen worden ist.
(Epheser 4,23.24) [1]

*... wobei ihr prüfen sollt,
was dem HERRN wohlgefällig ist,
und beteiligt euch nicht an den unfruchtbaren
Werken der Finsternis, deckt sie vielmehr auf.
Denn die Dinge, die heimlich von ihnen
getan werden, sind schändlich,
wenn man sie nur ausspricht.
Alle Dinge aber, wenn sie vom Licht
aufgedeckt werden, werden als das
sichtbar gemacht, was sie sind.
(Epheser 5,10ff.)*[1]

*Darum seid nicht unverständig, sondern
verständig, was der Wille des HERRN ist.
Und berauscht euch nicht mit Wein,
worin ein ausschweifendes Leben liegt,
sondern lasst euch mit dem Geist erfüllen.
(Epheser 5,17.18)*[1]

Noch einmal eine kurze Zusammenfassung:

1. Gott spricht in der Bibel nicht von leichten oder kleinen Sünden, sondern erwähnt immer die Schwere und Größe einer Sünde. Zwar unterscheidet die Bibel durchaus bei der Schwere der Sünde, vor allem in Bezug auf ihre Konsequenzen, aber jede Sünde, so klein sie in menschlichen Augen auch sein mag, ist eine Sünde gegenüber Gott.

2. Die Gedanken spielen eine kausale Rolle im Weltgeschehen. Alles, was wir sehen und wahrnehmen, ist über einen „ersten Gedanken" entstanden. Jede Sünde,

ganz gleich an welchem Ort und bei welcher Unternehmung sie zum ersten Mal „auftaucht“, auch sie hat einen ersten Gedanken, bevor sie umgesetzt wird.

3. Den Kampf des Glaubens zu führen heißt auch, dem Kampf der Gedanken bereits im Entstehungsprozess mit einem Gedanken an Jesus Christus, einem Bibelvers oder einem spontanen Lobpreis-Lied zum Sieg verhelfen.

4. Gott sagt nicht lediglich: „Ich töte dich jetzt, weil du gesündigt hast“, sondern er macht deutlich, dass der sündige Zustand ein verlorener Zustand ist, dessen Lohn der *ewige* Tod ist. Diese Strafe kann nur zu Lebzeiten eines Menschen durch Christus neutralisiert werden – ebenfalls auf ewig.

Im Blick auf Sündenvergebung und Ewigkeit werden alle Sünden vor Gott gleich bewertet. Er schiebt jedoch jeder Sorglosigkeit oder Oberflächlichkeit im Blick auf die Sünde einen Sperrriegel vor. Dass alle Sünden für ihn gleich wären, stände auch in einem absoluten Widerspruch zu seiner Gerechtigkeit.

Du rufst mich stets bei meinem Namen
und deine Stimme klingt gerecht.
Ja, HERR, nur du kennst die Gesinnung
und weißt, was in mir echt!
Was bei den Menschen ist unmöglich,
das liegt allein in deiner Hand.
Ja, HERR, wir preisen deinen Namen und
singen dir im ganzen Land! *

---

* Aus dem Lied: „Was bei uns unmöglich“, Waldemar Grab; CD „Bin so gern auf Erden“, www.htr-shop.de

10
DER ZERRISSENE VORHANG

Ich erwähnte es: Es ist die Ursünde, die die Trennung des Menschen von Gott verursachte und durch die wir von Anfang an Verlorene sind, weil uns der Verlust der Ewigkeit bevorsteht.

Diese Ursünde wird uns in dem Augenblick vergeben, in dem wir Christus als Sohn Gottes und den HERRN der Welt anerkennen. In dem Augenblick, wo wir sinngemäß aussprechen: „Ich glaube an dich, Jesus Christus; bitte vergib mir meine Schuld und fang mit mir neu an“, ist diese Sünde vergeben.

Die Trennung von Gott wurde durch das „Lebenswerk“ Jesu aufgehoben, der direkte Zugang zum Schöpfer wiederhergestellt. Das Bild des zerrissenen Vorhangs im Tempel zu Jerusalem, im Augenblick seines Todes am Kreuz, war das begleitende Zeichen Gottes dafür, dass die Versöhnung hergestellt ist, ohne jemals mehr ein Opferlamm schlachten zu müssen, wie es das alte Gesetz (s. meine Erläuterungen zur Thora) vorsah. Deswegen wird Jesus Christus in der Bibel auch als „Opferlamm“ bezeichnet.

Der zerrissene Tempel-Vorhang in Jerusalem zum Zeitpunkt des Todes Jesu auf Golgatha zeigt, dass der Zugang zum innersten Heiligtum des Tempels nicht mehr nur einmal im Jahr dem Hohenpriester vorbehalten ist. Es gibt dieses Zutrittsverbot zum Heiligtum nicht mehr. Jesus Christus machte schon zu seinen Lebzeiten deutlich, dass mit seiner Geburt, mit seinem Sterben und mit seiner Auferstehung jeder Mensch zu Gott kommen kann. Das ist das Merkmal des Neuen Bundes, des Neuen Testamentes.

Während Geist und Seele bereits zu Gottes Ewigkeit gehören, bleibt die physische Trennung von Gott noch erhalten, bis er sein Versprechen einlöst und die Gläubigen zu sich holt.

Euer Herz erschrecke nicht!
Glaubt an Gott und glaubt an mich!
Im Haus meines Vaters sind viele Wohnungen.
Wenn es nicht so wäre,
hätte ich zu euch gesagt:
„Ich gehe hin, euch einen Platz vorzubereiten"?
Und wenn ich hingehe, euch einen Platz
vorzubereiten, so will ich wiederkommen
und euch mit mir nehmen,
damit auch ihr seid, wo ich bin.
(Johannes 14,1-4) [1]

Es geht bei dieser ersten Vergebung der Ursünde um die Wahrung des Schatzes, der uns versprochen ist: ein Leben in der Ewigkeit, in der Gemeinschaft mit Gott und Christus. Wenn wir Jesus im Glauben annehmen, erhalten wir vollkommene Vergebung; das ewige Leben ist uns sicher, und Gott verurteilt uns nicht mehr aufgrund unserer Sünde.

Und Alltagssünden, die erkannt und vergeben wurden, sind bei Gott vom Tisch. Diese Sünden sind ja die,

die uns noch tagtäglich beschäftigen. Wenn sie nicht bekannt und vergeben werden, ist unsere Beziehung zu Gott nachhaltig gestört.

Niemals hätte ich das für möglich gehalten, dass sich eine Gewissheit einstellen kann, die völlig frei macht von Druck, schlechtem Gewissen oder tonnenschwerer Last. Wenn Gott vergibt, ist es vergeben!

Wir könnten im Grunde stundenlang Lebensereignisse aufzählen, die aufgrund der erwähnten „1000 Aufforderungen plus X" im Neuen Testament als Sünde zählen. Doch warum sollten wir? Für den, der glaubt, ist die Liste seiner Sünden getilgt.

Und er hat euch auch mit ihm lebendig gemacht, als ihr tot wart in den Sünden … und er hat uns alle Sünden erlassen und den Schuldschein gegen uns vernichtet, der durch Satzungen entstand und gegen uns war, und hat die Sünden von uns genommen und ans Kreuz genagelt; und er hat die Herrschaften und die Mächte entwaffnet und sie öffentlich zur Schau gestellt und durch sich selbst einen Triumph aus ihnen gemacht.
(Kolosser 2,13f.)[1]

Denn so sehr hat Gott die Welt geliebt, dass er seinen einziggeborenen Sohn gab, damit alle, die an ihn glauben, nicht verloren gehen, sondern ewiges Leben haben.
(Johannes 3,16)[1]

Denn wenn du mit deinem Mund bekennst,
dass Jesus der HERR ist,
und in deinem Herzen glaubst,
dass Gott ihn von den Toten auferweckt hat,
dann wirst du gerettet werden.
(Römer 10,9) [1]

Wenn wir aber unsere Sünden bekennen, so
ist er treu und gerecht,
dass er uns die Sünden vergibt und uns
reinigt von aller Ungerechtigkeit.
(1. Johannes 1,9) [1]

Auch Christen haben nahezu täglich ihre Anfechtungen. Oft bleiben sie standhaft, manchmal auch nicht. Doch niemand würde bestreiten, dass er nicht daran arbeiten würde, das Verhältnis zu Jesus Christus inniger werden zu lassen! Alles andere wäre die Paradoxie des christlichen Glaubens überhaupt!

Das tägliche Gebet, das tägliche Lesen in Gottes Wort, die immer wieder ausgebreiteten Arme des HERRN, der unsere Gesinnung aufs Genaueste kennt, das alles sind die Antreiber zu einer gesunden Beziehung zu Gott.

Ich wünsche mir sehr, dass wir, Sie und ich, es schaffen, diese Beziehung täglich zu verbessern!

Denn einst wart ihr Finsternis,
jetzt aber seid ihr Licht im HERRN.
Wandelt als Kinder des Lichts,
denn die Frucht des Geistes
besteht in aller Güte und Gerechtigkeit
und Wahrheit.
(Epheser 5,8.9) [1]

Und hieran erkennen wir,
dass wir ihn kennen,
wenn wir seine Gebote halten.
(1. Johannes 2,3) [1]

Offenbar sind aber die Werke des
egoistischen Fleisches, nämlich:
Unzucht, Unreinheit, geschlechtliche
Ausschweifung, Götzendienst, Zauberei,
Feindseligkeiten, Streit, Eifersucht,
Wutausbrüche, Eigennutz, Uneinigkeiten,
Spaltungen, Neid, Trinkgelage und
andere Gelage und dergleichen,
von denen ich euch im Voraus sage,
wie ich es zuvor schon gesagt habe:
Diejenigen, die solche Dinge tun,
werden das Reich Gottes nicht erben.
(Anm.: weil es Sünde ist)
(Galater 5,19) [1]

Und was nun? „Das Reich Gottes zu erben" ist doch unser Ziel! – Man muss auch wissen, dass wir Menschen sind und Menschen bleiben. Dass wir anfällig sind und dass wir bis ans Ende wohl anfällig bleiben. Und so kommt es auch vor, dass Menschen, die meinen, sich „im Licht Jesu" aufzuhalten, auch gleichzeitig in Sünde leben. Jede Sünde ist jedoch eine Zielverfehlung und geschieht nicht im Licht, sondern in der Finsternis, da ist es egal, wer sie wie begangen hat.

Es ist ein großer Unterschied, ob es sich im Leben um ein künstliches Scheinwerferlicht handelt, in das man sich stellt (ich weiß, wovon ich rede), oder ob man sich an den hält, der *„das Licht der Welt"* ist (Johannes 8,12).

Die Bibel zeigt auch, dass der, der festhält, in der Gemeinschaft geborgen ist. Die vorbildlichen Handlungen der ersten Gemeinden können auch für uns wie eine gern zu erfüllende Pflicht klingen:

Sie blieben aber beständig in der Lehre der Apostel und in der Gemeinschaft und im Brotbrechen und im Gebet. (Apostelgeschichte 2,42) [1]

11
DIE VERSUCHUNG JESU

Blicken wir doch einmal auf die Begebenheit, die in Lukas 4 beschrieben wird. Ich bin vor einigen Kapiteln bereits kurz darauf eingegangen. Es geht um die Versuchung Jesu in der Wüste. Vierzig lange Tage war er dort und hatte ordentlich mit den Anfechtungen Satans, des Weltenfürsten, zu kämpfen.

In diesem Lukas-Bericht bekommen wir einen ersten Eindruck, wie Jesus nach seiner Taufe am Jordan mit Anfechtungen umging, als er Mensch war. Sie sollten diese Geschichte unbedingt einmal lesen.

Meine nachstehenden Ausführungen werden für einen regelmäßigen Bibelleser sicher verständlicher erscheinen als für jemanden, der nicht mit der Bibel vertraut ist, doch ich bin überzeugt, dass alle, die sich mit geöffnetem Herzen diesem Thema nähern, die Begebenheiten nachvollziehen können.

In diesem Bericht ist sofort erkennbar: Auf jede der einzelnen Versuchungen reagierte Jesus mit dem Wort Gottes! Das ist für jedes seelsorgerliche Gespräch unter Christen eine gute Ansatzmöglichkeit zur Umkehr: nämlich jede dieser Anfechtungen mit einem bestimmten Bibelvers abzuwehren.

Ich meine, dass man die Probleme der Menschen im Wesentlichen in vier Kategorien einteilen kann. Sollten Sie Ihre gerade aufzählen und auf mehr Punkte kommen als vier, bin ich überzeugt, dass Sie diese hier untergliedern können. Es sind

1. zwischenmenschliche Probleme,
2. finanzielle Probleme,
3. gesundheitliche Probleme und
4. spirituelle Probleme.

Jeder von uns kennt doch seine eigenen Schwachpunkte am besten.

„Wann bin ich anfällig für die Dinge, die Gott nicht an mir mag, weil sie mich von ihm entfernen?“ Diese Antwort auf diese Frage kann in den meisten Fällen jeder für sich selbst herausfinden. Denken Sie dabei auch an den „ersten Gedanken“, der jeder Sünde vorausgeht.

Wenn Sie Ihre eigenen sogenannten „Treiber“, die Sie zu etwas „antreiben“, was Sie eigentlich gar nicht wollen, gefunden haben, werden Sie merken, dass es Dinge sind, die immer wiederkehren. Und das, obwohl Sie sich jedes Mal vornehmen, beim nächsten Mal standhaft zu bleiben. Das Verhaltensmuster in Ihnen wird dabei mit großer Wahrscheinlichkeit immer das gleiche sein.

Schauen Sie, wie Jesus reagiert hat. Er hat zu den einzelnen Punkten mit genau dem Wort Gottes reagiert, das den Widersacher letztendlich vertreibt. Das, was der Teufel dem Herrn Jesus in der Wüste da angeboten hat, erleben wir das heute nicht in anderer Form tagtäglich und immer wieder?

1. Die Verwandlungskünste

Da Jesus sehr hungrig war, packte ihn der Teufel natürlich auch dort, wo er möglicherweise hätte verwundbar sein können: Er zeigte ihm die Möglichkeit auf, als Sohn Gottes aus Steinen Brot zu machen, um damit diesen unerträglichen Hunger zu stillen! Jesus erwiderte:

Es steht geschrieben:
„Der Mensch lebt nicht vom Brot allein,
sondern von jedem Wort Gottes."
(Vers 4) [1]

2. Die Verlockungsangebote

„Du betest mich, den Teufel, an, und dann bekommst du die Macht und die Herrlichkeit!" Darauf antwortete Jesus:

Es steht geschrieben:
„Du sollst Gott, deinen HERRN,
anbeten und ihm allein dienen." (Vers 8) [1]

Der Teufel steht auch heute immer wieder als Synonym für Wohlstand und materielle Dinge, wenn diese die Stelle einnehmen, die nur Gott gebührt. Viele können nicht mehr ohne diese angenehmen Dinge des Lebens. Nicht mehr ohne 200 PS, nicht mehr ohne Haus und Pool, nicht mehr ohne die Bequemlichkeit des Lebens.

Ich hatte in den ersten Wochen nach meiner jahrzehntelangen Odyssee durch die 5-Sterne-Welten ganz gehörige Entwöhnungsprobleme und bin meinem Gott sehr dankbar, dass ich diese Zeit ohne seelische Blessuren überstanden habe (was mir meine Frau auf gelegentliches Nachfragen jedenfalls bestätigt).

Es ist in der Tat so, dass nicht nur die Menschen, die dabei sind, „die ganze Welt zu gewinnen, Schaden an ihrer Seele nehmen können", sondern durchaus auch die, die sich nach der Bekehrung selbst eine Radikalkur beim Wechsel von der einen in die andere Welt verordnet haben, ohne dabei wirklich mit Gottes Hilfe zu rechnen.

3. Die Versuchungen

Als der Teufel mit den beiden ersten Versuchungen bei Jesus gescheitert war, versuchte er es beim dritten Mal in der Sprache, die Jesus besonders gut versteht, nämlich die Einbindung der unsichtbaren Welten und Mächte. Eine Welt, die Jesus kannte und die ihm sehr lieb war. Die Engel, so Satan, würden ihn auf Gottes Geheiß schon tragen, schließlich sei er doch sein Sohn.

Dass der Teufel mit allen Wassern gewaschen und sogar in der Heiligen Schrift „zu Hause" ist, sieht man an seinen biblischen Zitaten. Doch auch hier genügte Jesu Erwiderung mit dem Zitat aus dem Kapitel 6 des 5. Buch Mose, das zum Gehorsam gegenüber Gott ermahnt und jeglichen Versuch dieser Art von Verführung im Ansatz zerstört:

Du sollst den HERRN, deinen Gott,
nicht versuchen …
(Vers 12) [1]

Es ist ein klarer Verstoß gegen Gottes Willen, wenn Menschen Gott herausfordern, um festzustellen, ob es ihn tatsächlich gibt. Es ist kein Spiel, so wie Menschen oft mit Menschen „spielen".

Ich kann durchaus verstehen, dass, wenn man sich zum ersten Mal mit dem christlichen Glauben auseinandersetzt, die Versuchung recht groß ist, den Grad der Zuwendung Gottes an der Anzahl der Gebetserhörungen zu messen. Doch ein Verstoß gegen Gottes Wort ist ein Verstoß gegen seine Gebote – und dies ist nun mal Sünde.

Allerdings möchte Gott auf Dinge, die uns bedrücken, klar angesprochen werden. Es ist das Gebet, das Milliarden von Menschen in aller Welt auf unterschiedlichste Weise praktizieren.

Der HERR ist allen nahe,
die ihn anrufen,
allen, die ihn aufrichtig anrufen.
(Psalm 145,18) [1]

Ich möchte das Augenmerk noch auf einen anderen Aspekt des Textes aus Lukas 4 lenken. Etwas, das ich selbst im Alltag ständig erlebe und immer wieder auch von anderen bestätigt bekomme: nämlich das Erfolgserlebnis, dass der Satan unter bestimmten Umständen für eine Zeit lang von einem weicht. Dafür habe ich Ihnen einmal drei Verse aus diesem Bericht herausgeschrieben, sie fassen meines Erachtens das komplette Geschehnis zusammen. Es sind die Verse 1, 13 und 14:

Jesus aber, voll des Heiligen Geistes,
kam wieder vom Jordan zurück und
wurde vom Geist in die Wüste geführt. [1]

Und als der Teufel alle Versuchung vollendet hatte, wich er eine Zeitlang von ihm.[1]

Und Jesus kehrte in der Kraft des Geistes nach Galiläa zurück.[1]

Fällt Ihnen auf, was ich mit dieser Zusammenlegung der Verse zeigen möchte? Gerade dann, wenn man sich mit einem erklärten Willen zu Gott bekennt; gerade dann, wenn man das Gefühl hat, mit dem Vater eins zu sein; gerade dann, wenn wir uns der Führung des Heiligen Geistes anvertrauen wollen, ist für „Diabolos" Hochkonjunktur.

Satan lässt Jesus in unserem Leben oft vorangehen und greift dann an, wenn wir uns aus der Liebe Gottes entfernen. Meines Erachtens kann er unsere Gedanken nicht lesen und kennt auch nicht unser Innerstes. Er bluffte, als er vor Gott über Hiob sprach (Hiob 1,7ff). Aber Achtung: Er kennt unsere Verhaltensmuster in und auswendig. Er weiß, wie wir auf bestimmte Dinge reagieren, weil es Dinge sind, die sich immer wiederholen. Und dann hat er sofort die gewohnte Angriffsfläche.

In einer christlichen Zitaten-Sammlung fand ich das Bonmot der niederländischen christlichen Autorin Corrie ten Boom:

„Wenn die Versuchung an die Tür klopft, bitte ich Jesus, an die Tür zu gehen. Das ist der sicherste Weg, sie loszuwerden."

Doch zurück zum Ereignis aus Lukas 4. Der schönste Vers in dieser Geschichte ist für mich, neben dem erfolgreichen Widerstehen unseres HERRN, eindeutig der Vers 13 (s. o.). Denn wenn es dem Satan nicht gelingt, seine Versuchungen bei uns durchzusetzen, oder wir nach einer Verfehlung wieder zurück zu Jesus kommen konnten, dann missfällt dies dem Teufel aufs Äußerste, und er weicht von uns.

So seid nun Gott untertan.
Widersteht dem Teufel,
dann flieht er von euch;
naht euch zu Gott,
dann naht er sich zu euch.
Reinigt die Hände, ihr Sünder,
und macht eure Herzen rein,
ihr Wankelmütigen.
(Jakobus 4,7.8) [1]

Die Zeiten der Ruhe, wie Jesus sie in der Wüste suchte, sind Zeiten des Wachstums.

Jesus war gerade erst von Johannes dem Täufer getauft worden. Unter diesen Eindrücken stehend führte ihn der Heilige Geist in Richtung Wüste. Nicht weit, aber weit genug, um allein zu sein. Die Bibel sagt, dass er vierzig Tage lang vom Teufel versucht wurde. Das heißt: Entweder gab es noch mehr Versuchungen als die genannten, oder, was wahrscheinlicher ist, eine Versuchung dauerte gleich mehrere Tage.

Wenn Menschen zur Ruhe kommen wollen, tritt der Teufel auf den Plan. Das kennen wir doch. Immer dann, wenn wir uns vornehmen, ausgiebig in der Bibel zu lesen, darüber nachzudenken, ins innige Gebet zu gehen … immer dann ist die Versuchung groß, anderen Dingen nachzugeben.

Wenn wir in Anfechtungen fallen, dann oft nicht nur für ein paar Minuten. Manchmal kann es Tage dauern, bis wir uns wieder im Griff haben. Je mehr wir versuchen, es selbst zu bewältigen, desto länger dauert es. Nehmen wir Jesus zur Hilfe, geht es rascher.

Die einfachen Dinge, die die Bibel uns als Ratschlag in solchen Situationen gibt, liegen zwar auf der Hand, sind in den Zeiten der Anfechtungen jedoch meilenweit von einer Umsetzung entfernt. Ich habe dies an anderer Stelle schon einmal beschrieben: Auch wenn man schon lange im Glauben steht – manchmal vergisst man die Einfachheit der Beziehung zwischen Kind und Vater! Die Bibel hat so wunderbare Aussagen, die uns regelrecht ins Herz springen, wenn wir sie lesen:

Petrus im 1. Petrusbrief in Kapitel 5,7
Alle Sorge werft auf ihn;
denn er sorgt für euch.[1]

David, in Psalm 55,23:
Wirf dein Anliegen auf den HERRN;
er wird dich versorgen und wird
den Gerechten nicht ewig in Unruhe lassen.[1]

Paulus in Philipper 4,6:
Macht euch keine Sorgen!
Sondern in jeder Lage lasst eure Bitten
im Gebet und Flehen mit Danksagung
vor Gott kundwerden.[1]

Diese Verse sollten wir uns in Herz und Verstand eingravieren, denn sie haben nicht nur Millionen von

Christen in zweitausend Jahren getragen, sondern sie tragen auch uns, unsere Kinder und unsere Kindeskinder, bis wir am Ziel sind, die Ewigkeit erreicht haben.

Jesus blieb stark! Als der Teufel am Ende von ihm wich, konnte unser HERR mit der Kraft des Heiligen Geistes zurück nach Galiläa gehen. Es war die Kraft, mit der er, vom Geist geführt, zu Beginn auch in die Wüste gegangen war.

So seid nun Gott untertan.
Widersteht dem Teufel,
dann flieht er von euch;
naht euch zu Gott,
dann naht er sich zu euch.
(Jakobus 4,7.8)[1]

Und ich mag diesen Bericht, weil er mir persönlich aufzeigt, dass ich im Grunde „gegensätzlich" handeln muss, wenn die Anfechtungen kommen. Ich muss mit etwas reagieren, mit dem der Teufel nicht rechnet!

Entgegen dem ersten Gedanken zu handeln kann auch heißen: genau wie Jesus dem Teufel mit dem Wort Gottes entgegenzutreten. Mit einem Lied, das Sie sofort abrufen können, wenn „Gefahr" droht, dem Vaterunser, dem Glaubensbekenntnis ... Da, wo Ihnen das Wort Gottes an Herzen liegt, verschwindet Satan oft sehr schnell.

Gegensätzlich zu handeln heißt, „reflexartig zu handeln"! Wie sind sie, Ihre Reflexe?

Wenn die Ampel auf Rot geht, treten Sie auf die Bremse. Springt sie auf grün, treten Sie aufs Gas.

Wenn ein Ball in die Richtung Ihres Gesichtes springt, heben Sie reflexartig die Arme.

Das Hämmerchen des Arztes, auf Ihr linkes Knie geschlagen, lässt den Fuß nach vorne wippen.

Das sind Reflexe! Da denken wir nicht lange drüber nach.

Wenn die Anfechtung zu einer Sünde kommt, kommt sie meist im gleichen Schema. Der Teufel weiß, wo wir anfällig sind, und wir wissen es oft auch. Daher ist es hilfreich, den Gegenreflex regelrecht anzutrainieren.

Ist es nicht so? Wenn Gott gerade gehandelt hat und wir nur staunen können über seine Wunder an uns oder unserem Nächsten – dann fühlen wir uns manchmal ziemlich klein und schwach vor IHM.

Ähnlich wie Petrus nach diesem Fischfang, mit dem keiner gerechnet hatte. Die Netze waren so voll, dass sie fast zerrissen (Lukas 5,6). Es mussten noch andere Männer kommen und helfen. Und das, wo sie doch die ganze Nacht versucht hatten, auf dem See etwas zu fangen. Als Jesus sagte: „Simon, fahr noch mal raus auf die Höhe und wirf dein Netz aus", da erwiderte er erst einmal: „Oh nein, Herr, die ganze Nacht war ich draußen, ich habe nichts gefangen – Aber weil du es sagst, will ich es noch einmal tun!"

Und dann dieser Fang! Zwei Boote – so voll, dass sie beinahe sanken! – Das ist der Humor Gottes, über den ich manches Mal schmunzeln muss. Gehorsam kann Sie in solch einer Fülle segnen, dass Sie nicht wissen, wo Sie anfangen sollen.

Und in dieser segensreichen Situation fällt Petrus vor Jesus nieder und ruft:

HERR, geh weg von mir.
Ich bin ein sündiger Mensch.
(Lukas 5,8)

Und Jesus sagt zu ihm:

Fürchte dich nicht;
denn von nun an wirst du Menschen fangen.
(Vers 10) [1]

Dem Erkennen der Schuld, der Buße und Umkehr, der Demut und der Freude über die Vergebung folgen bei Gott oft Segen und Auftrag. Haben Sie das bei sich oder anderen beobachten können?

Die beste Empfehlung: dranbleiben am Wort Gottes, immer wieder lesen, immer wieder forschen, immer häufiger „heiligen statt verseuchten Boden" betreten – und der ist überall dort, wo Christus auf vielfältige Art verkündet wird.

12
SCHAFFE IN MIR, GOTT, EIN REINES HERZ

Seit meiner Bekehrung habe ich als Studiosprecher bereits eine Reihe von Hörbüchern aufgenommen. Etliche davon geben das reine Wort Gottes wieder, unterbrochen durch gelegentliche Klaviermusik. Den größten Segen hatte ich gerade erst, als ich für eine Bibel-App die Evangelien und die Psalmen einlesen durfte.

„Schaffe in mir, Gott, ein reines Herz und gib mir einen neuen, beständigen Geist“ [1], das ist der Vers aus Psalm 51,12, der mir beim lauten Lesen im Studio durch Mark und Bein ging.

Rein zu sein, das ist, denke ich, bei allen Menschen ein hohes Ziel. In der Bergpredigt hebt Jesus die Menschen hervor, die „reinen Herzens“ sind (Matthäus 5,8).

Nicht nur für äußerliche Reinigungen gibt es jahrtausendealte Rituale, sondern auch für den Erhalt oder das Erreichen innerer Reinheit. Was sagt die Bibel eigentlich über diesen hohen Wunsch des Menschen, innerlich wie äußerlich „rein“ zu sein?

Jesus hat in einer bemerkenswert harten Rede an die Pharisäer die äußere und die innere Reinheit gegeneinander ausgespielt.

*Sorgfältig achtet ihr darauf,
dass eure Tassen und Teller
nach außen sauber sind, doch innerlich seid
ihr durch und durch verdorben –
voller Missgunst und Maßlosigkeit!
Ihr blinden Pharisäer!
Wascht erst einmal die Tasse von innen aus;
das Äußere wird dann von selbst sauber.
(Matthäus 23,25.26)* NLB

Da reagierte Jesus oft zornig, wenn Menschen nach außen hin den Schein wahrten, innen jedoch dem Teufel Tür und Tor geöffnet hatten.

Gibt es Bereiche in unserem Leben, in denen wir nicht ehrlich sind? Wo wir etwas darstellen, was wir nicht sind? Glauben Sie mir, es wird Sie auf Dauer krank machen, denn es ist Sünde. Ihre Seele wird darunter leiden, wenn Sie sich und Ihrem Umfeld, auch wenn es nur in kleinen Teilbereichen ist, etwas vormachen. Sie werden kein ersehntes Wachstum und keine absolute Reinheit verspüren, wenn Sie der Welt, sich selbst und vor allem Gott etwas vormachen wollen, wobei das Letztere schon im Ansatz nicht gelingen wird.

Bedenken Sie: Wenn Sie sich selbst belügen, belügen Sie auch Ihren Schöpfer. Hören Sie auf damit und starten Sie mit Christus in die Wahrheit! Sie haben den Satz Jesu in diesem Büchlein bereits gelesen:

*Ich bin der Weg und die WAHRHEIT
und das Leben.*

Es wird Sie ruhig machen, wenn Sie mit Jesus den Weg der Wahrheit gehen werden, und vor allem werden Sie weiter im Glauben wachsen.

Die Bibel kennt das Problem von Menschen, die in einer sündigen Umgebung rein bleiben wollen. Was tun, wenn das Umfeld, in dem man lebt, arbeitet oder zur Schule geht, von keinem guten Geist beherrscht wird? Wie schafft man es, in diesem Fall vor Gott und vor sich selbst „rein" zu bleiben? Die Antwort überrascht nicht, denn wer sich an das Wort hält, kann immer davon ausgehen, dass es eine reinigende Wirkung hat!

Wie wird ein junger Mann
seinen Weg unsträflich gehen?
Indem er sich an deine Worte hält.
(Psalm 119,9)[1]

Natürlich kann man auch sagen: *„Wie wird eine junge Frau ihren Weg unsträflich gehen? Indem sie sich an deine Worte hält."*

13
DAS FAZIT

Was ist eigentlich mit den Sünden, bei denen sich schon Routine bei uns eingestellt hat? Bei denen wir gar nicht mehr darüber nachdenken, ob es Recht ist, was wir tun? Die verborgenen Verfehlungen, nicht wissend, dass es welche sind?

Auch mit der versteckten Verfehlung halten wir uns Gottes Segen auf Distanz. König David hat immer wieder darüber nachgedacht. Und er bittet Gott:

Wer bemerkt, wie oft er Fehler begeht?
Verzeih mir die verborgenen Sünden!“
(Psalm 19,13)[1]

Damit meint er die Sünden, die sich in sein Leben eingeschlichen haben, ohne dass er sie bewusst wahrgenommen hat. Ein Gebet, das wir uns immer wieder auch selbst zu eigen machen sollten.

„Unwissenheit schützt vor Strafe nicht“, heißt es in der Juristerei. Doch vor unserem himmlischen Vater sollten wir regelmäßig um die Offenbarung dieser Verfehlungen bitten. Das geschieht durch den Heiligen Geist.

Denn es ist nichts verborgen,
das nicht offenbar wird,

und es ist nichts geheim,
das nicht ans Licht kommt.
(Jesus in Markus 4,22) [1]

Das Leben und die Bibel lehren uns: Es bedarf immer wieder einer bestimmten Reihenfolge, um vor Gott rein zu werden, ohne jedoch ein Ritual daraus werden zu lassen.

Es bedarf der Öffnung des Herzens, der Aufnahme des Wortes, des Erkennens der Sünde, der Umkehr zu Gott, der Entscheidung für Christus, der Vergebung.

Außerdem: Bleiben Sie fest dran am Wort Gottes. Wenn Sie keine Zeit haben, nehmen Sie sich welche. Alle Menschen haben die gleiche Anzahl von Minuten am Tag zur Verfügung. Räumen Sie Gott diese Zeit ein!

Bleiben Sie fest drin in der Gemeinschaft. An der erlebten Gemeinschaft in den Kirchen, Gemeinden und Versammlungen. Ein Hauskreis ersetzt keine Gemeinde, ein Fernsehgottesdienst auf der Couch keine gelebte Gemeinschaft! Das sind Ausnahmesituationen. Christen treffen sich!

Bleiben Sie dran an der Empfehlung Jesu, mit anderen das Brot zu brechen! Das Abendmahl feiern, das kann man nicht alleine. Es sollten mindestens zwei oder drei Christusgläubige mit Ihnen feiern. Wenn Sie nicht mehr zur Gemeinde kommen können, kommunizieren Sie mit den Verantwortlichen, dass Sie mit ihnen das Abendmahl feiern möchten. Haben Sie Mut!

Bleiben Sie dran am Gebet. Alleine, zu zweit, in der Gemeinschaft. Das Gebet für die eigenen Sorgen und Probleme, das Gebet für Familie und Freunde, für Arbeitskollegen, Schulkollegen, Nachbarn. Das Gebet für

Regierungen, Menschen in Not und dem Dialog der Anbetung!

Es gibt nur diese eine Möglichkeit, mit unserem Gott zu kommunizieren, und ich darf ihnen versichern, es ist kein Monolog!

Sie blieben aber beständig in der Lehre der Apostel und in der Gemeinschaft und im Brotbrechen und im Gebet. (Apostelgeschichte 2,42) [1]

Das und nichts anderes sind die stärksten Mittel zur Bekämpfung des Widersachers. Und wenn dieser merkt, dass er bei Ihnen keinen Blumentopf gewinnen kann, sondern eine Abfuhr, dann können Sie genau wie Jesus erfahren, dass der Satan sich (zumindest zeitweise) entfernt von Ihnen. Das ist doch ein erstrebenswertes Ziel, nicht wahr?

Sie haben jetzt viel gehört über die Begriffe „Sünde", „Anfechtung" und „gegensätzliches Verhalten". Man bräuchte ein ganzes Wochenend-Seminar, um in Ruhe alles besprechen zu können, dabei in der Bibel zu forschen und zu diskutieren.

Das Wichtigste dabei ist – und das gilt für die, die glauben, für die, die noch nicht glauben und für die, die nicht mehr glauben:

Wir brauchen nicht gebeugt von der Last der Sünde herumzulaufen, auch wenn sie noch so schwer auf uns liegt! Wer bei Gott Vergebung gefunden hat, dem ist wirklich vergeben, der ist frei!

Wenn euch nun der Sohn frei macht, dann seid ihr wirklich frei. (Johannes 8,36)[1]

Das Büchlein **„Hör mir doch auf mit Sünde!“** soll klarmachen, dass es kein Kavaliersdelikt ist, wenn man sich durch die Nichteinhaltung seiner Gebote von Gott distanziert. Es soll aufzeigen, dass es nicht Gott ist, der uns versucht, sondern immer der Gegenspieler, Satan. Der wiederum kann es allerdings überhaupt nicht leiden, wenn man ihm mit dem Wort Gottes begegnet. Doch es gibt keine andere Lösung. Keine Rituale, kein Weihrauch und keine sonstigen Hilfsmittel können es, nur das reine Wort Gottes ist in der Lage, den Teufel abzuwehren.

Und noch eines: Ich weiß nicht, wie es Ihnen geht bei dem Gedanken, jede kleinste Sünde dem Teufel in die Schuhe zu schieben. Meinen Sie wirklich, dass er an allem „schuld“ ist – oder könnten Sie sich auch vorstellen, dass Sie selbst es sind, der den ersten Gedanken an die Sünde zwar erkennt, aber trotz allem vorsätzlich weitermacht ...?

Von Römer 5,12 haben wir schon gehört:

So ist der Tod zu allen Menschen durchgedrungen, weil sie alle gesündigt haben.[1]

Von Anfang an: Es war immer der Mensch aus eigenen Stücken heraus, der sich von Gott entfernt hat. Wenn er zu Gott zurückfindet, geschieht dies aus Gnade. Dieses Geschenk, dass Gott uns auserwählt hat und nicht wir ihn, das nennt sich Gnade.

Ohne Gnade keine Buße, keine Bekehrung, keine Ewigkeit.

Denn aus Gnade
seid ihr errettet durch Glauben,
und das nicht aus euch, Gottes Gabe ist es,
nicht auf Grund von Werken,
damit niemand sich rühme.
(Epheser 2,8.9) [1]

Ziel dieses Büchleins ist es, dass der Leser eine Lebenssituation selbst zu analysieren vermag. Er soll in der Lage sein zu begreifen, dass es sich lohnt, die eigene Sünde zu erkennen und mit ihr zu Gott zu kommen.

Manches ist für den geschrieben, der bisher noch nichts gehört hatte vom Hintergrund der Sünde und wie Gott in seinem Wort, der Bibel, dazu steht.

Und manches ist für den verfasst, der schon glaubt und Grundkenntnisse hat oder diese auffrischen will.

Wo stehen Sie?

Ich wünsche mir, dass Sie durch die Bewertung des eigenen Standpunktes die Worte Jesu zu diesem Thema noch einmal reflektieren können, und ich bin überzeugt:

Wer sich mit dem tiefen Wunsch öffnet, rein zu werden, von Gott Vergebung zu erfahren, wer ihn inständig bittet, wie der Psalmist es vorbetet: *„Schaffe in mir, Gott, ein reines Herz!“*, der wird auch in der Lage sein, die Stimme des Herrn Jesus zu hören, wenn der so oder so ähnlich zu uns spricht:

„Hör mir doch auf mit Sünde. Hör mir zuliebe auf mit der Sünde.“

Vom selben Autor erhältlich:

Was bringt mir eigentlich der christliche Glaube?
Ein persönliches Fazit
Tb., 80 S., 11 x 18 cm
Best.-Nr. 271 598
ISBN 978-3-86353-598-8

Pointiert macht Waldemar Grab deutlich, dass der christliche Glaube nichts mit irdischen Vorteilen zu tun hat. Dabei bringt die Beschäftigung mit diesem Thema doch Erstaunliches zutage! Ein herausforderndes Buch für jeden, der sich mit dem christlichen Glauben intensiver beschäftigen möchte, und ein Auffrischungskurs für Gläubige.

Weiterer Buchtipp:

NeÜ bibel.heute
Pb., 1760 S., 13,5 x 20 cm
Best.-Nr. 271 303
ISBN 978-3-86353-303-8

Die sinngenaue Bibelübersetzung mit klarer Orientierung am Grundtext und einer prägnanten Sprache. Durch ihre gute Verständlichkeit lässt die NeÜ die Welt der Bibel und ihre berührende Botschaft lebendig werden.